Écritures Arabes

Collection dirigée par Marc Gontard

EVELYNE ACCAD

L'excisée

Editions L'Harmattan
7, rue de l'Ecole-Polytechnique
75005 Paris

Collection *Ecritures Arabes*

Cette collection se propose d'accueillir des textes arabes de langue française, qu'ils viennent du Maghreb ou du Machrek, ainsi que des textes traduits de l'arabe.

Il s'agit, avant tout, de donner aux jeunes auteurs la possibilité de s'exprimer en contournant le pouvoir des groupes d'édition pour lesquels compte surtout l'impact commercial du texte littéraire.

Dans cet esprit, nous nous attacherons à découvrir de nouvelles écritures, romanesques ou poétiques, de nouveaux modes d'expression capables d'ébranler les formes sclérosées du discours littéraire dominant.

Aux auteurs plus connus ou déjà célèbres, nous donnerons la place qui leur revient dans la mesure où leur renom reste étranger à toute application de recettes à succès, sommaires et démagogiques.

Nous nous efforcerons enfin de faire entendre toute voix capable de transmettre une parole, une expérience, un vécu dont la force émotive excède l'écriture elle-même.

Marc Gontard

© *L'Harmattan*, 1982
ISBN : 2-85802-223-2

Pour Jay Zerbe
Pour Monique Loubet

Quand le dragon vit qu'il avait été précipité sur la terre, il poursuivit la femme qui avait enfanté l'enfant mâle. Et les deux ailes du grand aigle furent données à la femme, afin qu'elle s'envolât au désert, vers son lieu, où elle est nourrie un temps, des temps, et la moitié d'un temps, loin de la face du serpent. Et, de sa bouche, le serpent lança de l'eau comme un fleuve derrière la femme, afin de l'entraîner par le fleuve. Et la terre secourut la femme, et la terre ouvrit sa bouche et engloutit le fleuve que le dragon avait lancé de sa bouche. Et le dragon fut irrité contre la femme, et il s'en alla faire la guerre aux restes de sa postérité, à ceux qui gardent les commandements de Dieu et qui ont le témoignage de Jésus. Et il se tint sur le sable de la mer.

Et la femme prend l'enfant et court
Elle court et court vers la mer

Elle a enveloppé l'enfant dans son voile
Pour le protéger du sable et du soleil
Et l'enfant s'accroche à la femme
Et la femme trébuche dans le sable
Le soleil est très bas et la mer très loin
Et la femme a peur de ne pas arriver

L'été a été chaud, un été de poussière et de folie, un été de rage, humide comme les pleurs de l'enfant endolori, amer comme la noisette verte. Partout des bandes armées ont assiégé Beyrouth, remuant les haines, semant la peur, brisant les confiances, cassant l'euphorie. Les barricades se sont dressées sur les mêmes rues, sous le même ciel, dans la même ville : frère contre frère, sœur contre sœur, enfants entraînés dans la débâcle. Les canons, les mitrailleuses, les roquettes et les fusils ont grondé entre côté chrétien et côté musulman, déchirant le silence, créant le vide, trouant l'espoir. Le sang a coulé, un sang noir chargé de lignage, un sang ignominieux, un sang vengeur. Les cadavres ont jonché les rues semant la panique, appelant d'autres morts. La mer a rougi, puis elle est devenue d'encre, ravalant au loin sa honte.

Le président a fait un discours soulignant l'urgence du moment, la nécessité de faire cesser les combats, de commencer les pourparlers, de s'asseoir autour d'une tasse de café pour savoir qui a commencé et pourquoi. Les chefs des partis ont souri et se sont gratté la tête devant la naïveté du président. Les coups se sont arrêtés pendant un moment, permettant à chacun de se réarmer, d'enterrer rapidement ses morts et de calculer ses offensives.

Et les batailles ont repris de plus belle, plus violentes parce que plus vengeresses, plus mortelles, parce que nourries de morts. Des piétons égarés sont arrêtés, questionnés, et, suivant leur dénomination confessionnelle, ils sont exécutés sommairement, froidement sur place, quelquefois sous un arbre, quelquefois dans une rigole, le plus souvent contre un mur, les bras en croix ; ils ne sauront jamais pourquoi ils sont morts. Des maisons aux endroits stratégiques sont occupées, d'énormes canons obstruent les fenêtres, d'autres maisons sont aussi occupées, leurs habitants égorgés. Personne ne se soucie du ciel qui porte son deuil en fumées noires, voiles opaques constamment fermés, voiles à l'odeur âcre qui étouffent, qui étreignent, qui suffoquent.

La Sixième Flotte a reçu l'ordre d'appareiller vers l'est de la Méditerranée. L'Amérique et la Russie sont en alerte. L'Amérique veut qu'on laisse à un petit pays son intégrité nationale qui protège ses machines et son beurre. La Russie

10

n'est pas contente d'avoir la Sixième Flotte à ses portes. Elle clame qu'on n'est pas en train de sauvegarder une intégrité mais de questionner et de s'approprier toutes les intégrités. Le Conseil de Sécurité s'est réuni pour discuter des problèmes libanais. Il y a un vote demandant l'arrêt des combats. Tout le monde vote pour, à part la Russie qui s'abstient. Les chefs des bandes armées sourient et se grattent la tête. Ils auront encore manqué une tasse de café et un discours. Ils auront encore eu le temps de se réarmer et d'enterrer leurs morts.

La seconde accalmie est suivie de batailles et de massacres terribles, surtout dans la montagne. Cela fait des années que les villageois sentent l'orage venir, comme ils sentent si la pluie viendra ou ne viendra pas arroser leurs récoltes, comme ils sentent le vent du désert qui s'annonce par des fleurs fanées, par une bête malade, par une étoile qui ne brille pas dans une nuit d'été. Même les villages ont appris à se méfier, à s'armer, à se grouper suivant leur dénomination. Le villageois libanais est fier. Il a le sens de l'honneur aiguisé par des siècles de résistance à tout ce qu'il ne veut pas, lui, à des siècles de retrait dans la montagne pour fuir les persécutions, pour fuir les impositions. Son sens de l'honneur se traduit par sa sauvegarde de la virginité de ses filles et de la respectabilité de ses femmes et par la vengeance du

11

sang par le sang. Provoquer un villageois, c'est courir à une perte sûre et certaine. Les batailles provoquées dans la montagne sont atroces et passionnelles.

En ville, dans la plaine et dans les montagnes, chacun compte ses morts et crie sa douleur. Des groupes pour l'action par la non-violence se forment. Ils déambulent dans les rues criblées de balles, sous des maisons abattues comme des jeux de cartes : prêtres catholiques, orthodoxes, maronites, cheikhs sunnis, chiaïtes et druzes, pasteurs protestants, rabins juifs, tous se tiennent la main, criant contre le carnage, voulant effacer le nom de religion de leur identité. Mais cette guerre n'est pas une guerre de religion, ni une guerre d'identité religieuse. Ils ont oublié les masses qui croupissent dans la misère et qui cherchent à percer les toits de leurs bicoques pourries. Ils ont oublié qu'on ne donne pas l'amour à qui demande du pain. Ils se retirent comme ils sont venus, foule émouvante, apaisante, rafraîchissante dans un moment de fièvre. Beaucoup sont abattus et ne se relèvent que pour bénir avant de s'écrouler à nouveau. Beaucoup disparaissent sans jamais avoir vraiment compris. Les femmes pleurent et lèvent les bras au ciel demandant à Dieu miséricorde. Leurs larmes coulent jusqu'à la mer qui semble attendre.

La fin, la fin semble approcher avec la fin de l'été. Les troubles s'apaisent petit à petit sans qu'on

12

sache pourquoi et comment. Il y a bien un nouveau président qui a été élu. Il y a bien un nouveau régime en Iraq. Il y a bien l'Amérique qui sourit avec ses G.I. blonds et blancs qui émoustillent les filles du port et les filles des écoles échappées de la surveillance des traditions. Il y a bien la pluie qui s'est mise à tomber trouant les nuages de fumée, déchirant les voiles, renouvelant la mer. Il y a bien tout cela. Mais personne ne comprend. Où est la haine qui s'est déchaînée pendant tout l'été ? Où est la foudre qui a terrassé, qui a terrorisé, qui a brisé l'essentiel ? Où est la réponse aux pourquoi de cette guerre ? Le silence se fait lentement, c'est un silence vide et froid, cruel comme l'épée. La peur est installée au fond des cœurs et personne n'ose parler, personne n'ose questionner. C'est bien la fin de l'été.

Femmes, soyez de même soumises à vos maris, afin que, si quelques-uns n'obéissent point à la parole, ils soient gagnés par la conduite de leurs femmes, en voyant votre manière de vivre chaste et réservée. Ayez, non cette parure extérieure qui consiste dans les cheveux tressés, les ornements d'or, ou les habits qu'on revêt, mais la parure intérieure et cachée dans le cœur, la pureté incorruptible d'un esprit doux et paisible, qui est d'un

grand prix devant Dieu. Ainsi se paraient autre-
fois les saintes femmes qui espéraient en Dieu,
soumises à leurs maris, comme Sara qui obéissait
à Abraham et l'appelait son seigneur. C'est d'elle
que vous êtes devenues les filles, en faisant ce qui
est bien, sans vous laisser troubler par aucune
crainte.

Maris, montrez à votre tour de la sagesse dans
vos rapports avec vos femmes, comme avec un
sexe plus faible, honorez-les, comme devant aussi
hériter avec vous de la grâce de la vie.

Autour de la mer, il y a un mur
Et la femme frappe et gratte en s'écorchant les
mains
L'enfant est tombé dans le sable et pleure

Dis aux croyantes de baisser leurs regards,
d'être chastes, de ne montrer de leurs atours que
ce qui en paraît. Qu'elles rabattent leurs voiles
sur leurs gorges. Qu'elles montrent seulement leurs
atours à leurs époux, ou aux fils de leurs époux,
ou aux fils de leurs sœurs, ou à leurs femmes, ou
à leurs esclaves, ou à leurs serviteurs mâles que
n'habite pas le désir (charnel) ou aux garçons qui
ne sont pas (encore) au fait de la conformation
des femmes. Que (les croyantes) ne frappent point
(le sol) de leurs pieds pour montrer les atours

14

qu'elles cachent. Revenez tous à Allah, ô croyants !
Peut-être serez-vous bienheureux.

Le serpent s'est approché de l'enfant

Elle marche dans sa rue, d'un pas un peu effacé,
un peu appeuré. L'école vient de rouvrir ses portes
après un long retard dû aux événements. Elle a
changé d'école pour ne pas avoir à franchir la
ville criblée de balles et de pierres lancées à tout
hasard. Au lieu de l'école française, ce sera l'école
anglaise cette année. A l'influence de la culture
française sera substituée l'américaine. Au lieu
des Charlemagne et des Napoléon, elle ingurgitera
le Coca-Cola et le Rock 'n Roll. Elle tient dans
ses mains ses livres d'école et un stylo.

Le mouvement de sa rue vient de commencer,
comme il recommence chaque matin depuis la fin
des troubles, comme si rien ne s'était passé, comme
si la rue n'avait jamais vu la mort, comme si
l'enfant n'avait jamais crié à cet endroit précis de
la croisée des routes. C'est là que les petits marchands de fruits et de légumes crient le prix de
leur marchandise et que les ménagères choisissent
sur les charrettes, discutent des prix, faisant semblant de ne pas trouver tel ou tel produit à leur
goût pour l'avoir à meilleur marché.

Son attention est intérieure et non vers ces

bruits coutumiers si incongrus après ceux de l'été. Car il y a la tente d'évangélisation qui vient d'être dressée dans son quartier et qui lance chaque soir des appels de salut à la foule, une tente appelée de réveil, car elle cherche à éveiller les consciences à un renouveau religieux, pensant pouvoir transcender la haine par l'amour et franchir les distances des camps et des différences par Christ. Christ n'a-t-il pas dit : Je suis le Chemin, la Vérité et la Vie. Nul ne vient au Père que par Moi ?

Mais ces appels de la tente créent en elle le vide et la terrible envie de partir, tout comme les leçons monotones de cette école où elle s'en va. Il y a eu trop de sang. Il y a eu trop de morts. Il y a eu trop de corps déchiquetés sous un soleil d'effroi. Il y a eu trop de camps rasés et d'enfants asphyxiés. Il y a eu trop de cris rebondissant sur des murs érigés par la peur. Il y a eu trop de sexes mutilés, de femmes violées et d'enfants écartelés dans une nuit sans fin. Il y a eu trop d'injustices et de souffrances inutiles acceptées à genoux. Comment accepter des solutions faciles devant tant de misères ? Comment accepter de laisser mourir en soi ces graines de révolte qui, de temps en temps, poussent et font fleurir les déserts ? Pourquoi éteindre en soi les remous de passion qui illuminent de pourpre et de retour les coins les plus sombres et les plus dénudés et qui, de temps en temps, dans des cœurs et des vies qui n'ont plus

16

rien à perdre, désinfectent la blessure, rafraîchissent la plaie, cautérisent le mal ?

Elle a atteint l'école. Rima, une de ses camarades de classe l'entraîne dans un coin :

— Ecoute. Un homme t'a remarquée et te suit depuis quelques jours. Il aimerait faire ta connaissance. Je lui ai dit que je te présenterais. Il va nous attendre à la sortie de l'école.

Le ton qu'emploie Rima souligne qu'elle devrait être flattée. Rima et son groupe font partie des jeunes filles « dans le vent » qui écoutent Elvis Presley et flirtent avec les G.I. de la Sixième Flotte. Elles ont mauvaise réputation dans le quartier. Et la plupart des parents défendent à leurs filles de les fréquenter. Elles se noircissent les yeux au kohl et leurs regards soulignés d'ombres cherchent à plaire et à retenir. Elles ont dans les yeux une tristesse chargée de la tragédie d'un destin. Elles savent qu'elles sont « différentes » et qu'elles devront en payer le prix. Elles ont rompu avec certaines traditions mais elles sont entrées dans un autre système de règlements encore plus violents et plus cruels. Les codes d'honneur réglés par la famille deviennent des codes d'honneur réglés par la société. Et cette dernière ne pardonne pas. Œil pour œil, dent pour dent. Et quand il s'agit d'une femme : deux femmes pour un homme, deux yeux pour un œil, deux dents pour une dent. De temps en temps, une de ces révoltées met fin à ses jours en avalant du poison ou en se jetant depuis le haut de son balcon. Et les journaux citent ces pauvres éclopées dans les « faits-divers » ou ne les citent pas du tout. Encore une pauvre hystérique à la recherche d'une illusion ! Et si le suicide est un crime commis par un frère pressé de laver l'honneur de la famille dans le sang, on applaudit. On crie à la victoire de codes bien huilés.

La cloche sonne.

Rima l'attend dehors. Elle avait espéré une minute qu'elle aurait oublié. La rue est brûlante. Les marchands cherchent l'ombre aux coins des maisons. Des enfants en tabliers d'école rentrent à la maison pour manger. De temps en temps un taxi klaxonne, un homme crache, une femme appelle. L'atmosphère est suffocante de chaleur. Elle a de la peine à respirer. Rima est pressée. Elle l'entraîne.

Il est là, à l'angle, qui les attend. Le soleil lui bat le dos et donne à sa silhouette une allure un peu carrée. Il s'avance et elle voudrait s'enfuir. Rima fait les présentations. Le nom a des résonances précises qui l'atteignent en plein cœur et qu'elle n'ose identifier. Elle n'arrive pas à regarder cet homme dont le regard transperce et qui semble deviner ses pensées.

Elle s'excuse. On l'attend à la maison. Elle ne

18

peut être en retard. Elle aurait des ennuis. Elle s'enfuit précipitamment, grimpe les escaliers quatre à quatre et arrive toute essoufflée. Toute la famille est déjà à table en train de manger. Elle s'excuse et prend place près de son petit frère. Elle baisse les yeux pour la prière. Mère la regarde avec attention et lui remplit son assiette. Père est très occupé à manger. Elle a de la peine à avaler. Soudain, ce nom lui revient. Ce nom, ce nom, c'est un nom musulman, nom-mu-sul-man, comme si épeler les syllabes dans sa tête arriverait à changer ce fait. Gravité du moment qui accumule déjà des nuages noirs au-dessus de sa tête. Comment Rima a-t-elle pu ? Pourtant elle connaît sa famille.

— Est-ce que tu viendras prier ce soir dans la petite tente avant la réunion ? lui demande Mère.

Le sang de Christ vous lave de tout péché.

Une bannière blanche portant ces mots s'étend au-dessus de la grande tente. Une foule de gens entre par les bouches béantes. Une fine poussière mélangée à une odeur âcre de sueur plane dans l'air moite, mais les gens se pressent les uns contre les autres. Certains se serrent la main. D'autres s'embrassent. Il y a beaucoup de femmes de son église qu'elle reconnaît. Elles ont toutes la tête couverte et le regard humble et soumis. Elle ne veut pas leur ressembler, ni maintenant, ni jamais. Jamais elle n'aura le corps flasque et la tête couverte, souriant d'extase devant l'Etre Suprême. Jamais elle n'acceptera de se tenir courbée dans cette attitude de douleur et de sacrifices.

Père est déjà sur l'estrade, à côté du prédicateur qu'il traduit. Les deux hommes se lèvent, l'un nerveux, sec et maigre, habillé de noir : le Prédicateur ; l'autre petit et gros, habillé de gris : Père. Père et les dogmes. Père et les systèmes. Père qui connaît la Parole et qui sait l'expliquer. Père et la Parole. Père et le Prédicateur. Tous les P. unis pour expliquer, pour guider, pour analyser, pour montrer la Vérité : voici le chemin, marchez-y. Père montrant le chemin érigé, construit, taillé dans le roc. Père et les commandements reçus du Père Tout-Puissant, du Père Céleste. Père recevant ses directions du Père Omnipotent, Omniscient, Omniprésent, de la source divine et intarissable. Père et le Pouvoir. Père et la Victoire.

Ils entonnent un cantique que la foule reprend avec ferveur. L'homme en noir commence à prêcher avec fougue. Ses yeux jettent des flammes. Il gesticule et ses mains se font tantôt menaçantes, tantôt apaisantes. Il essuie la sueur qui coule de son front. Golgotha et le sang, la couronne d'épines et le sang. Repentez-vous. Acceptez Christ dans votre vie et vous découvrirez le vrai bonheur. Venez à Christ, vous tous qui êtes fatigués et

20

chargés et Il vous donnera du repos. Père aussi nage de chaleur et semble transporté dans l'extase. Je suis la Voix de celui qui crie dans le désert. Repentez-vous, avant que des temps plus terribles encore ne viennent. Dans ces temps-là, il y aura tant de souffrances et de détresse que vous direz aux montagnes : tombez sur nous, et aux rivières : submergez-nous.

La ville sera purifiée par le sang. Et l'enfant conduira le lion et l'agneau dans de verts pâturages. A cause de son Nom. Et le lion, l'agneau et le serpent paîtront paisiblement côte à côte. Et celui qui aura cru sera conduit par l'enfant vers des sources miraculeuses où il recevra une couronne d'or pur. A cause de son Nom. Parce qu'il aura triomphé du mal. Et il n'y aura plus de guerres et il n'y aura plus de haines car le dragon aura été enchaîné pour mille ans. Mille années de paix sur la terre. Et il n'y aura plus de faim et plus de cruautés et tous ceux qui auront cru règneront avec Lui et avec l'enfant. Et tous ceux qui auront triomphé marcheront dans de verts pâturages en compagnie de l'enfant, du lion, de l'agneau et du serpent.

Les gens avancent en masse répondant à l'appel d'un changement de vie. Ils voudraient tant obtenir une nouvelle formule qui les aide à supporter leur vie de tous les jours, un remède contre leurs misères. Il y en a des grands et des petits, des femmes et des hommes, des enfants et des vieillards. Ils avancent dans les allées, foule émouvante comme entraînée vers une source miraculeuse, foule de délire soulevée au-dessus de la banalité, du quotidien, des mesquineries, foule entraînée vers l'amour qui surpasse toute connaissance.

Agneau de Dieu, je viens, je viens. Christ a dit : Je suis la résurrection, la vérité, et la vie. Nul ne vient au Père que par Moi.

Il y en a qui pleurent, d'autres qui prient, d'autres qui ont les yeux tournés vers le ciel dans une attitude de supplication. Elle regarde Père et Mère. Tous les deux prient. Elle voit un de ses frères qui avance dans la foule des rachetés. Elle est prise de remords. Est-elle si loin d'eux tous ? Ne devrait-elle pas, elle aussi, se lever et marcher vers la rédemption, ne serait-ce que pour être en accord avec les principes qu'Ils lui ont inculqués dès le berceau ? Pourquoi ne le peut-elle pas ? Qu'est-ce qui la retient ? Est-elle si différente et pourquoi ?

Pourtant la foule est douce et entraînante. Il n'y a qu'un pas à faire et elle sera happée dans le flot. Tous ses problèmes auront une réponse. Elle avancera avec fermeté vers le repos éternel. Mais les veut-elle ces réponses, ce repos ? Elle aime sentir en elle la contradiction qui fait souffrir, les questions qui la déchirent, le sentiment qu'elle existe parce qu'elle est responsable. Elle ne veut pas mourir, mourir déjà dans son être, avant d'avoir vécu, avant d'avoir compris le pourquoi de ces bouillonnements qui la soulèvent, qui la tourmentent. Même l'angoisse est préférable à cette abnégation. Même la souffrance vaut mieux que le renoncement.

Le mouvement s'est arrêté. Elle en est comme soulagée. Mais un étau lui serre la gorge. Elle se précipite dehors, voulant éviter la foule. Dehors, il s'est mis à pleuvoir. La chaleur du jour en est balayée, épurée. Elle a envie de boire cette eau chargée des poussières et des saletés de la ville. Elle aimerait courir pendant longtemps et très loin sous cette pluie bienfaisante et réelle encore toute imprégnée de la tiédeur du jour.

Et lorsque les prophéties auront été accomplies. Sept jours sur sept. Le ciel s'entrouvrira. Les nuées se déchireront. Et Il apparaîtra du haut de toute Sa Gloire. Le soleil s'unira à la terre. Les sources déborderont et couleront des rivières infinies. Le centre de la terre éclatera en mille faisceaux, en mille lumières, en mille viscosités, en mille muqueuses de vie, en mille fibres d'amour tissées dans la volonté de comprendre, dans la volonté de s'ouvrir, dans la volonté de faire triompher les forces de vie, et de tendresse, et d'amour. Et le petit enfant les conduira vers la lumière où ils triompheront du mal, et des guerres, et des forces de pouvoir, et des forces de destruction, et des forces de mort.

Nous sommes au chaud, à l'abri dans nos maisons, dans nos foyers qui sentent le linge frais et repassé, les carrelages savonnés, les meubles et les portes astiqués. Dehors la tempête fait rage. Un chien hurle quelque part, une mitrailleuse crépite quelque part, et l'enfant abandonné sous la tente pleure et appelle. Le Sud est partagé, tiré de part et d'autre de la mer, et les vagues déferlent sur un rivage de sang et d'opprobre. L'oiseau plane et tombe dans la lourdeur d'un vent aigri et chargé des poussières des canons et de la haine.

Des filles en uniforme jouent dans la cour de l'école, leurs rires fusent plus fort que les détonations d'avions. Elle se sent triste, angoissée, tourmentée par des sentiments contradictoires et la peur de devoir faire face à cette situation nouvelle : là, dans le cœur d'un nouveau désert, une grosse fleur vient d'être plantée. Elle est belle mais

éphémère, car le désert en triomphera et la sécheresse la tuera et le souffle chaud et aride emportera
ses pétales délicats et tendres. Et le vent soufflera
une poussière de sable sur tout ce qui vit, sur tout
ce qui respire, sur tout ce qui cherche à triompher
de la mort. Et l'union de deux êtres qui s'aiment
sera condamnée comme quelque chose d'infâme
et de défendu. Et l'amour ébauché entre une chrétienne et un musulman sera coupé à la racine,
arraché avant d'avoir pu croître et produire des
bourgeons et des fruits. Et le petit enfant cherchera
en vain la route du fleuve. Le fleuve aura tari
et toutes les sources seront asséchées et brûlées. Et
l'étoile du matin sera voilée par la fumée de la
poudre de mort. Et l'oiseau sera asphyxié, napal-
misé, réduit en cendres.

Rima s'approche d'elle :
— Alors ? Comment le trouves-tu ?
— Comment as-tu pu ? Un musulman... Il est
bien musulman, n'est-ce pas ?
— Oui, Palestinien de Jaffa, je crois.
— Ah ! encore mieux.
— Tu ne trouves pas qu'il ressemble à James
Dean ? Tu pourrais sortir avec lui en groupe, avec
d'autres. Moi aussi mes parents ne me laissent
pas sortir seule avec mon ami. Il faut savoir s'ar-
ranger.
Rima, jeune fille arabe émancipée qui sait s'ar-

ranger, qui trouve des détours, des chemins tordus. Jeune fille arabe pâmée devant tout ce qui est américain, devant l'Américain comme si c'était un Dieu, un jeune Dieu blond à la James Dean, bouche canaille, regard sensuel, vie suicidaire, héroïsme servant la société de consommation, jeune Christ crucifié pour les boîtes de conserves. James Dean Musulman Palestinien de Jaffa, mélange impossible mais voulu par Rima. L'Amérique s'appropriant la Palestine et la vomissant après s'être bien gavée, après en avoir extirpé tous les sucs de vie. Et Rima, l'Inconscience, tournée vers tous les Dean-Presley-Graham-York-Coke-Rock-Doll-Sex-Machine-Roll et dansant, dansant, dansant jusqu'à en perdre haleine et s'agenouillant devant la Statue of Liberty, lèvres appuyées contre le marbre froid, remerciant Dieu de ce don de grâce, d'avoir choisi l'Amérique pour y faire triompher sa Parole et son Eglise, d'avoir choisi l'Amérique pour y faire triompher le Salut et la Rédemption, la vie en un Jésus-Christ-Dollar, pour y faire vivre les églises ségrégationistes, les églises K.K.K., les églises Texaco, les églises I.B.M., les églises Xerox, les églises Ford, les églises Polaroïd et les églises Exxon.

Et Rima ne comprend rien. Jamais on ne la laisserait sortir, elle, ni seule, ni accompagnée. Dans de rares occasions, elle était allée chez des camarades de classe pour des anniversaires. Toujours elle s'était sentie étriquée, mal habillée devant ses camarades de classe en toilettes, qui brillaient dans leurs plus beaux atours. Elle avait fui ces fêtes qui ne lui apportaient qu'une certaine amertume devant l'éclat tapageur de la richesse étalée. Une fois, elle avait même surpris une bribe de phrase qui l'avait atteinte en plein cœur :

— Ce qu'elle est fagotée cette fille de missionnaires. Quelle vulgarité, quand même...

Dans son cœur, elle avait renversé l'affront. C'étaient elles qui étaient vulgaires, ces familles qui avaient amassé des fortunes sur le dos des pauvres qui croupissaient dans la misère des quartiers à deux pas de leurs villas lambrissées ! Ces familles bourgeoises libanaises et ces filles de « bonnes familles » qui allaient à l'école française par snobisme, pour apprendre à parler « le Français de France », pour s'habiller « à la Parisienne ». Elle méprisait leurs rubans de satin rose nouant des nattes soyeuses, leurs gâteaux et canapés de la pâtisserie suisse « La Bourgeoise » et l'étalage criard de leur confort.

Au sortir des classes, à midi, il est là à l'attendre. Est-il venu pour Rima ou une de son groupe ? Non, c'est vers elle qu'il avance avec ce sourire un peu moqueur qu'elle lui a déjà remarqué. Derrière, les autres chuchotent et la regardent avec envie. Un musulman blond aux yeux bleus, un Palestinien-Dieu, un blond aux yeux bleus, James Dean ressuscité, la coqueluche américaine et toutes les jeunes libanaises pâmées et délirantes, et toutes les jeunes arabes émancipées dansant le Rock 'n Roll à la lumière d'une torche Elvis qui frétille et se trémousse. Et tous les jeunes arabes oubliant la guerre dans les sons U.S.A. Et tous les jeunes chrétiens libanais portant la croix U.S.A. Et l'Amérique s'appropriant la Palestine dans la blondeur, le blond des blés, le blond du pain, le blond évoqué par la mendiante du coin comme le talisman, comme l'élixir miracle : « pour tes beaux yeux bleus, oh ! mon blond, que Dieu te les multiplie » ! Le refus de l'arabe du noir. Peau noire, masques blancs. Le noir du blé, le noir du pain, le pain du pain.

Le pain du retour
Le pain de l'espoir
Le pain de vie

Il l'entraîne dans les rues saturées par le soleil de midi. Il veut la revoir. Il veut qu'elle invente des prétextes à la maison pour le voir, pour qu'ils passent du temps ensemble. Son regard est tendre, l'appel de ses yeux irrésistible. C'est la Palestine de l'espoir. Bleu de la mer retrouvée. Fleurs d'une terre reconquise. Arbres d'un désert irrigué. Raisins écrasés et juteux.

Vin coulant dans le sang
le sang de l'opprobre
le sang de la haine
Union qui s'ébauche malgré l'acier et malgré le
sang versé

Mais elle ne veut pas avoir à mentir à sa famille.
Elle refuse de le voir. Elle dit non à cet espoir qui
s'ébauche car elle n'aime pas les mensonges, les
chemins tortueux, les choses qu'on doit cacher, devoir s'arranger... Moi je veux être droite.

— Je ne veux pas mentir, tromper, cacher.

— Ah ! tu n'aimes pas mentir ! Tu es conserva-
trice ! J'aime bien cela en toi. Mais je suis patient.
Je saurai attendre.

Toute la famille est déjà à table lorsqu'elle rentre. C'est mercredi et la tante qu'elle aime beaucoup est là. Mère la regarde avec insistance.
Devine-t-elle quelque chose ? Déjà Père la ques-
tionne :

— Tu arrives bien en retard. Que faisais-tu ?

— La maîtresse devait nous expliquer un pro-
blème.

Premier mensonge qui lui brûle la bouche, mais
qui passe si vite pourtant. Première entaille dans
son âme protégée, couvée, encerclée. Il le faut, il
le faut, se dit-elle. Et elle plonge son nez dans
la soupe pour ne pas voir le reflet de son mensonge
sur le visage de Père.

30

Femme devant un mur. Femme qui triche pour vivre. Femme qui s'arrange pour vivre. Femme qui troue le mur avec une épingle pour pouvoir apercevoir l'autre côté de sa prison, le côté liberté, le côté espace. Femme qui travaille avec lenteur et patience pour respirer, pour ne pas suffoquer, pour retrouver l'espace qui conduit à la mer et aux vagues infinies.

— J'ai apporté un livre à vous lire, dit Tante. Il s'intitule *A la recherche de l'Eldorado*. C'est l'histoire des martyrs huguenots en France. Parmi eux, il y avait même des enfants prêts à se laisser brûler vifs pour ne pas renier le vrai évangile.

Depuis sa tendre enfance, Tante leur lit de ces histoires dont elle les nourrit comme de lait pris à la mamelle. Tante a une voix douce et prenante. Les histoires sont souvent captivantes et entraînent au loin dans des pays de songes, des pays pleins d'enfants-héros qui, sans un mot, ou en chantant des cantiques triomphants se laissent dévorer par les lions ou sont brûlés vifs. Père et Mère lui ont souvent dit que ces temps de persécution peuvent revenir et qu'il faut être prêt à mourir plutôt que de renier sa foi. Elle aime bien penser à la douceur de mourir dans la grandeur de l'héroïsme. Comment recevrait-elle la morsure de la flamme, la déchirure des crocs ? Quelquefois elle se brûle pour connaître la cruauté du geste, la profondeur du stoïcisme. Et la voix l'entraîne loin, très loin,

31

vers un ciel entrouvert où des anges aux ailes brillantes et dorées viennent soulever les enfants calcinés et les arrosent de larmes qui sont mille pierres précieuses. Tous les élus sont conduits à travers une rue d'or pur qui mène à un palais resplendissant et éternel. D'autres anges jouent de la trompette, des cymbales, des hymnes de victoire. L'être qui a triomphé reçoit un habit blanc et une couronne d'or et de pierres précieuses. Et la voix transforme ces couronnes en rubans roses, rubans de satin noués sur des nattes soyeuses comme elle en a vu chez ses camarades de l'école française. Et les anges deviennent des mères qui leur apportent les baba-au-rhum de la Bourgeoise. La musique se transforme en hymne nationaliste. Tout tourne dans sa tête. Mais la voix implore. Dans le palais, il y a le trône de l'Agneau. L'Agneau c'est Christ et Il la regarde, la remerciant d'avoir souffert pour Lui. Mais au Christ s'est substitué le musulman palestinien, un musulman palestinien de Jaffa n'appartient pas à l'El-dorado, un musulman palestinien de Jaffa ne fait pas partie des élus, un musulman palestinien de Jaffa n'est pas un agneau.

Le message de la tente ce soir-là est fort, direct, allumé comme une étoile, fondu dans l'acier des prières des élus.

Mais pour ceux qui L'ont rejeté, Il leur réserve une fournaise ardente.

La ville est en flammes. La ville brûle tordue de peur et encerclée de barbelés. Le petit enfant est aveugle et cherche à tâtons la route du fleuve. Ses mains se meurtrissent aux ronces. Les étoiles se sont éteintes consumées par les flammes de la haine.

Et la femme cherche une issue
La femme gratte avec patience la pierre qui la frappe
La femme serre dans ses bras un enfant mort
La ville s'est tue sous la cendre.

Le Prédicateur évoque un voyage au-dessus de l'océan dans un avion en flammes où lui et sa famille ont failli périr. Il n'y avait plus d'espoir. C'est la prière et la foi qui les ont sauvés. Le pêcheur est semblable à ce passager pris dans un avion en flammes. Car le monde et ses convoitises, c'est la perdition. Seule la prière peut le sauver. Seul Christ peut le délivrer et l'arracher à la fournaise ardente, à la mort.

Mais elle a envie de crier contre l'Injustice qui étale son propre sens de la justice sur toute la Palestine paralysée sous l'Autorité, sous les forces de Puissance, les forces de Connaissance, et les forces de Raisonnements.

Elle crie pour les femmes cousues dans les tentes les femmes excisées dans les jardins

la Palestine martelée
et l'oiseau mort à la croisée des routes.

Tante aussi semble suffoquer et lui demande de
la raccompagner à un taxi. Elle la guide à travers
l'allée. Dans la foule, elle sent un regard posé
avec insistance sur elle, le regard de la Palestine.
C'est tout un monde qui la traverse. C'est tout
un monde qui cherche à s'incruster en elle. C'est
un monde pour lequel elle veut s'ouvrir, qu'elle
veut comprendre. C'est l'appel du large, l'appel de
l'inconnu.

Tante l'embrasse et monte dans le taxi. Déjà la
voiture s'éloigne, tandis que Tante lui fait signe
de la main. Soudain, il est en face d'elle avec son
sourire moqueur :

— J'étais dans la tente ce soir. Je voulais te
voir. J'ai failli me convertir pour que ton père
m'accepte.

— Si tu te convertis *pour* quelque chose, ce
n'est pas une conversion.

— Je plaisante. Je n'ai pas l'intention de me
convertir. Je ne crois pas dans les religions. Elles
ne servent qu'à créer des fossés entre les êtres,
entre les peuples. Mais pour moi, la religion mu-
sulmane, c'est une sorte de prise de conscience
nationaliste nécessaire. Regarde un peu, c'est ce
qui aide les algériens à lutter en ce moment. C'est
ce qui leur donne une unité, une force dont ils

34

ont besoin, sans laquelle ils ne seraient rien. Quand on a été chassé de son pays, comme je l'ai été, on prend davantage conscience de sa race, qui est malheureusement mélangée à la religion.

— Mais le christianisme est aussi une religion arabe.

— Pas pour moi.

Il se fait dur, intransigeant, cassant. Il est devenu un inconnu qui lui fait peur. Ils approchent de sa maison et elle lui fait signe de partir. Avant de s'éloigner, il l'attire à lui et l'embrasse avec passion sur la bouche. Baiser de tendresse et de possession. Baiser désiré et repoussé. Homme sûr de lui, de son pouvoir, de sa force. Homme pénétrant la femme pour s'assurer qu'il est le Maître, qu'il est le créateur des jardins, des plaines et des moissons.

Palestine-Femme
Palestine-Jardin
Palestine-Enfant
Palestine des mondes perdus et retrouvés.

Mais à tous ceux qui l'ont reçu, à ceux qui croient en son Nom, Il a donné le pouvoir de devenir enfants de Dieu.

Les mots flottent dans la tente, mots qui cher-

35

chent à troubler, mots qui cherchent à remplir, mots bibliques, mots millénaires que les foules ont écoutés à travers tous les temps : le pouvoir de devenir enfants de Dieu, mots miraculeux, remède contre la misère, baume contre la peur.

Le figuier se reconnaît à ses figues et l'olivier à ses olives. Ainsi l'enfant de Dieu se reconnaît à ses fruits. Je connais tes œuvres dit l'Amen. Je sais que tu n'es ni froid ni bouillant. Puisses-tu être froid ou bouillant ! Ainsi, parce que tu es tiède, et que tu n'es ni froid ni bouillant, je te vomirai de ma bouche. Moi, je reprends et je châtie tous ceux que j'aime. Aie donc du zèle, et repens-toi. Voici, je me tiens à la porte et je frappe. Si quelqu'un entend ma voix et ouvre la porte, j'entrerai chez lui, je souperai avec lui, et lui avec moi.

Tyr est en flammes
Tyr est violé par l'homme venu du Sud
Et l'homme martèle la terre
Et l'homme éventre les maisons
Et l'homme édente la femme et lui arrache cheveu par cheveu
Il fend le crâne de l'enfant

Et la Parole est proclamée. Et le Langage de l'Homme est érigé en Vérité. Et les faits historiques sont cités comme preuves de Gloire, comme preuves de Civilisation, comme preuves de Connaissances, comme preuves de Savoir, comme preuves de Progrès. Et l'Homme brandit son Phallus-Savoir-Langage comme un étendard sous lequel il faut se plier, qu'il faut accepter si l'on veut connaître la Vérité, si l'on veut façonner l'Histoire, marquer le Progrès, son Temps. Et les forces des faits historiques, et les forces de pouvoir et de savoir détruisent les forces de tendresse et d'amour et de vie. Et la terre éclate dans un grand holocauste atomique. Et la Vie est détruite par la Parole.

Rima est venue s'asseoir tout près d'elle avec P. Tous les deux chuchotent et rient. Un des jeunes gens responsable de la tente s'approche d'elle et lui demande de faire taire ses amis. Elle leur fait signe de la suivre et quitte la tente. Tous les regards convergent sur eux, regards lourds de désapprobation, regards de jugement, regards étonnés et surpris.

— Qu'est-ce qu'il y a ? demande Rima.

— Le jeune homme était furieux que tu aies ri. Il m'a demandé de vous faire taire. J'ai préféré sortir.

— Mais pourquoi ne nous l'a-t-il pas demandé lui-même ?

— N'oublie pas qu'elle est la fille du pasteur, s'exclame-t-il sur un ton moqueur.

— Moi je vous laisse, dit Rima. Je n'étais venue

que pour l'accompagner car il avait peur d'aller tout seul dans cet antre de loups. Je vois qu'il avait bien raison !

Il lui prend la main et ils s'en vont dans les rues encore chaudes du soleil du jour. Ils marchent longtemps en silence dans des petites ruelles à l'odeur de poisson, d'ail et de friture, sur les grands boulevards de la Grotte aux Pigeons animés de mille lumières, de taxis bruyants, de chauffeurs de taxi qui jurent ou qui crachent, de passants attablés dans les parfums d'une glace ou d'un café, de mélodies qui s'échappent des boîtes de nuit, mélodies langoureuses d'Um Kalthum qui vagit sa plainte, hurlement d'un rythme endiablé d'Elvis Presley.

Ruelles hier encore coupées par des barricades croisades
Par des croix
Par la poussière des canons, des bombes et des flammes de vengeance
Boulevards nappés de sang, jonglés de cadavres
Grotte aux Pigeons aux pigeons envolés, terrorisés
Grotte surplombant une mer cruelle et impassible
Pigeons chassés, pourchassés, carbonisés
Passants témoins des déchirures, des écartèlements et des pendaisons et fermant les yeux, glissant dans l'Inconscience
Et l'Inconscience fermant les yeux pour l'Oubli

Mélodies qui auraient dû parler, se transformer en appels, en une prise de conscience, en un changement de vie, en un engagement dans la volonté de vouloir transformer la société

L'air devient de plus en plus humide et salé tandis qu'ils s'approchent de la mer. Le silence se fait autour d'eux, silence complice et protecteur, malgré les codes, malgré les systèmes d'honneur et malgré les interdictions d'unions entre dénominations différentes, silence qui les porte au-dessus du temps, au-dessus des troubles, au-dessus des conventions, au-dessus de la rage des épées et des mitrailleuses, au-dessus d'une guerre civile infiltrée de partout et gagnant de plus en plus vite toutes les souches de la population, au-dessus même des oiseaux morts partis sur les nuages.

Ils sont assis sur un rocher qui surplombe les falaises. Très loin, au fond, elle aperçoit la mer qui vient se briser avec un bruit doux et régulier, le bruit de la guérison

mer toujours recommencée
mer léchant les cailloux de sang
mer d'espoir et de retour
mer arrosée de mots de larmes et de désirs
mer qui remonte le temps
mer qui porte en elle les corps fatigués et déchus

Il tient toujours sa main qu'il caresse doucement. Un sentiment de bien-être et de liberté monte et se déferle en elle comme une vague de tendresse et d'espoir. Elle arrive à parler, à exprimer son euphorie :

— J'aimerais être comme cette mer, libre d'aller où je veux, de faire ce que je veux, libre de gronder, libre d'écumer, libre d'être calme. Fuir les systèmes, exister à l'infini ! Ne rejoindre que le ciel, me croiser dans son bleu, m'éterniser, m'immortaliser, mais pas pour un autre système, système d'anges, de rues d'or, d'habits blancs, de cantiques... vivre à l'infini et sans systèmes, me croiser en toi, me joindre à toi, te comprendre et comprendre la Palestine, bannir les haines par un lien d'amour réel, un amour basé sur la compréhension mutuelle, sur la tendresse et la confiance, puis disparaître dans cette mer pour ne plus jamais revenir, pour ne plus jamais savoir que ce croisement n'a jamais existé, que ce lien ne pouvait durer, comme tout ce qui est vraiment beau.

— Tu m'as surpris ce soir. Tu as fait preuve d'un courage étonnant : braver ainsi tout le monde. J'ai compris qu'il y avait un lien entre nous qui surmonterait toutes les difficultés. Ensemble nous reconstruirons le monde, ensemble nous braverons les obstacles, nous franchirons les fossés de nos deux cultures et nous trouverons un compromis. Je n'aime pas les compromis, mais il le faut, car avec toi, je sens que c'est possible, car le but est commun. Ensemble nous travaillerons à la Palestine.

— Mais qu'est-ce que la Palestine ? un but, des enfants, un amour, un pays, un mirage, une guerre, une paix, un travail commun, un symbole, un mot sur lequel bâtir un monde, un lien sur lequel tisser notre vie ?

— C'est trop long pour que je t'explique. La Palestine, c'est pour moi quelque chose de très précis que je t'expliquerai un jour. Maintenant il se fait tard, il vaut mieux que nous rentrions.

Il est devenu crispé, triste et taciturne. Elle ne sait pas pourquoi mais elle a peur, peur de ce nouveau sentiment qu'elle a ressenti près des vagues et peur de lui qui est subitement devenu un étranger, peur devant cette plaie amère qu'elle perçoit en lui et peur devant son innocence à elle, son impuissance à comprendre la vie, à comprendre le noyau des choses, à s'élever toute seule pour savoir, pour connaître, pour se connaître. Ils refont le trajet dans un silence lourd et orageux. Il ne tient plus sa main.

La terre est déchirée
La terre se brise
La terre chancelle
La terre chancelle comme un homme ivre
Elle vacille comme une cabane

Son péché pèse sur elle
Elle tombe, et ne se relève plus
La terre éclate dans un grand holocauste atomique
La terre est battue par les forces meurtrières de
l'Homme
Elle se plie sous le Savoir et le Phallus-Langage
La terre meurt étranglée par l'Homme
Et l'enfant cherche en vain la route du fleuve. Et
l'enfant cherche en vain le sein nourricier. Et
l'enfant cherche en vain la main qui apaise et qui
donne. Toutes les routes sont coupées. Tous les
sentiers sont obstrués. Tous les chemins sont sans
issue.

Elle regarde son profil qui est dur et fermé. A
l'angle d'une rue adjacente à la sienne, elle s'arrête et lui demande de ne pas l'accompagner. Il
la regarde et s'éloigne d'elle sans dire un mot.
Elle observe son pas un peu nonchalant et lourd, le
poids qui semble lui peser sur les semelles et dans
le dos. Elle se sent très triste et accablée. Elle a
peur de se confronter à ses parents. Que va-t-elle
leur dire ? Il vaudrait presque mieux retourner
près de la mer et s'endormir dans l'air salé et le
bruit des vagues, recroquevillée dans le sable et les
algues, emportée au loin, oublier qu'elle a existé,
oublier que la Palestine existe et qu'elle a un secret
enfermé dans un coffret fermé à double tour, un
secret qu'elle ne connaîtra peut-être jamais.

Puis je vis dans la main droite de celui qui était assis sur le trône un livre écrit en dedans et en dehors, scellé de sept sceaux. Et je vis un ange puissant, qui criait d'une voix forte : Qui est digne d'ouvrir le livre, et d'en rompre les sceaux ? Et personne dans le ciel, ni sur la terre, ni sous la terre, ne put ouvrir le livre ni le regarder. Et je pleurai beaucoup de ce que personne ne fût trouvé digne d'ouvrir le livre ni de le regarder. Et l'un des vieillards me dit : Ne pleure point ; voici le lion de la tribu de Juda, le rejeton de David a vaincu pour ouvrir le livre et ses sept sceaux.

Elle n'a plus peur. Elle sait qu'elle triomphera. Elle sait que les forces de vérité et d'amour et de tendresse tisseront en elle les muqueuses, les fibres, le sang rouge et chaud, les cellules gonflées de lait, les parois gorgées de chair et de viscères et les transformeront en vie, en éclatement puissant de Vie et de Résurrection, et de Création.

Lorsqu'elle monte les escaliers, elle entend la voix de Père qui parle d'un ton menaçant :

— ...trop de liberté... Elle a besoin d'être tenue...

Mieux vaudrait rebrousser chemin. Elle connaît la ceinture de Père, en cuir, lourde, qui l'a plus d'une fois cinglée laissant des traces violettes, bleues et noires sur sa peau, et cela, pour des raisons bien moins graves que celles-ci. Mais il est déjà trop tard. Mère a entendu son pas et lui ouvre en la regardant avec reproche. Elle se redresse dans une attitude de défi. Pourquoi aurait-elle peur d'eux ? C'est maintenant ou jamais qu'elle doit triompher, vaincre pour être digne de la Palestine, vaincre pour découvrir ce secret trop bien emballé et qui la remplit de curiosité et d'espoir.

Voici ce que dit le Saint, le Véritable, celui qui a la clef de David, celui qui ouvre, et personne ne fermera, celui qui ferme, et personne n'ouvrira : Je connais tes œuvres. Voici, parce que tu as peu de puissance, et que tu as gardé ma parole, et que tu n'as pas renié mon nom, j'ai mis devant toi une porte ouverte, que personne ne peut fermer... Celui qui vaincra, je ferai de lui une colonne dans le temple de mon Dieu, et il n'en sortira plus ; j'écrirai sur lui le nom de mon Dieu, et le nom de la ville de mon Dieu, de la nouvelle Jérusalem qui descend du ciel d'auprès de mon Dieu, et mon nom nouveau.

Père n'est plus dans la pièce. Il a gagné sa chambre. Son absence annonce l'orage. C'est le silence de la force, le silence de la puissance, le silence de dominer et de réduire à la soumission et à la dépendance. C'est le triomphe du silence de l'Autorité.

— Où étais-tu ? demande Mère.

Elle ose lui dire :

44

— J'ai raccompagné des amis qui étaient dans la tente.

— Est-ce que ce sont ces amis qui ont manqué de respect pendant la prédication ? On est venu dire à ton père que sa fille riait avec des amis pendant qu'il prêchait. Il va falloir que tu t'expliques avec lui, car il est très fâché.

— Mais je n'ai rien à expliquer. Je n'ai rien fait de mal ou d'irrespectueux. On me calomnie, c'est tout.

C'était bien ce petit saint de l'église qui était allé rapporter la conduite de ses amis à Père. Comme elle détestait cette hypocrisie et ces airs de prière ! Comme elle était loin d'eux tous, loin de leurs mesquineries et de leur attitude de propre-juste. Ils étaient comme les Pharisiens que Christ avait condamnés. Ils étaient pire que les Pharisiens puisqu'ils prêchaient le message de Christ lui-même, message de pardon et d'amour, alors que les Pharisiens s'identifiaient à la loi, la loi de Moïse et de l'Ancien Testament !

Soyez tous animés des mêmes pensées et des mêmes sentiments, pleins d'amour fraternel, de compassion, d'humilité. Ne rendez point mal pour mal, ou injure pour injure ; bénissez, au contraire, car c'est à cela que vous avez été appelés, afin d'hériter la bénédiction. Bénissez ceux qui vous maudissent. Tendez la joue à celui qui la frappe.

Mère lui demande de faire cela, de s'humilier, d'accepter la croix en silence, de tendre l'autre joue, de faire un effort pour que l'atmosphère d'incompréhension et d'antagonisme se dissipe, pour que Père soit apaisé, pour que l'harmonie règne à nouveau dans la maison.

Elle sait que Mère est sincère et que c'est elle, en fin de compte qui souffrira le plus si elle ne va pas s'expliquer tout de suite. Car Père lui fera comprendre par mille pointes que c'est sa faute si leur fille a cette attitude de révolte et de désobéissance, si la mauvaise graine a poussé dans la bonne récolte, si les oiseaux de proie volent sur la moisson, si les tourterelles ne trouvent plus leurs nids et si tous les pigeons du quartier sont volés par le voisin gros et trapu qui chaque jour pratique son sport, perché sur le toit de sa maison, les appelant, les séduisant avec son drapeau qu'il fait tournoyer à tous les vents. Ce sera Mère qui souffrira le plus et elle ne peut pas le supporter.

Elle s'approche de la chambre de Père et frappe à la porte.

— Entrez, dit la Voix.

Ton de commande, ton du Maître à l'esclave, ton qui fait vibrer les murs de la maison, ton qu'il ne faut pas contester, ton sous lequel il faut se plier si l'on ne veut pas voir la maison s'écrouler et les vitres voler en éclats, ton qui désespère parce qu'il croit protéger, sanctifier, faire fructifier.

46

Elle prend son courage à deux mains et entre. Père est couché sur le lit, un journal dans les mains, horizontalité de la force prête à bondir, paravent brandi qui cache l'holocauste, la préparation du sacrifice, affrontement inévitable. Il ne soulève même pas les paupières. Le silence est de glace. Il faut briser l'attente. Il ne faut pas accepter la défaite de la Palestine. Il y a eu trop de dos courbés et de fronts tremblants. Il y a eu trop d'exils acceptés dans la peur et le sacrifice. Il y a eu trop de sang versé dans la honte et le renoncement.

— Mère m'a dit que tu étais fâché parce que tu pensais que j'avais ri dans la tente...

— Tu oserais me dire que cela n'est pas vrai, et que Samuel, le jeune homme le plus dévoué et le plus consacré au service de Dieu m'aurait menti. Et pourquoi l'aurait-il fait ? Tu n'as pas honte de calomnier ainsi un serviteur de Dieu. Et d'ailleurs, qu'est-ce que tu faisais à cette heure-là dehors ? Est-ce que tu n'es pas sortie de la tente au milieu de la réunion ? Réponds, où étais-tu pendant tout ce temps ?

— J'ai raccompagné mes amis qui dérangeaient le service de la tente. Mais je t'assure que moi, je ne l'ai pas dérangé.

— Ne me raconte pas qu'il faut deux heures de temps pour raccompagner des amis. Non seulement tu mens, mais tu manques de respect en plus. Je ne peux pas l'admettre chez ma fille, surtout dans une période où nous devons tous travailler au réveil évangélique. Je suis outré par ton attitude. Tu me fais vraiment honte. Et qui sont ces amis ? Comment s'appellent-ils ?

Son cœur fait un bond. Il faut inventer un nom, vite dire quelque chose, invoquer la Palestine, les meurtrissures, la croix, le pardon, n'importe quoi...

— P...

— Ah ! Musulman en plus. Tu les choisis bien tes amis.

Sa colère monte. Elle a dépassé les limites qu'il peut accepter. Maintenant que la foudre tombe, que tout soit anéanti, que tout disparaisse, que la flamme balaie tout, que les oiseaux fuient pour toujours, que les enfants s'envolent au-dessus des nuages, que les mouches s'aplatissent, que le tape-mouche soit pulvérisé, brisé sur place. Il n'y aura plus de lutte. Il n'y aura plus de terreur. Il n'y aura plus que le chant du coq à l'aube. Il n'y aura plus que les cris du mendiant sur la route déserte. Il n'y aura plus rien que son angoisse. Père est tout rouge comme le coquelicot. Il va la battre, elle le sait. Elle devrait fuir. Il va l'empoigner, la renverser, la faire passer par l'épée du pardon, la clouer sur le mur des lamentations... Mais que se passe-t-il ? Il ne dit rien, il ne fait rien. Il a l'air de se calmer. C'est le silence, le silence de l'humi-

liation, le silence des mots qu'on doit comprendre
à demi-mots, le silence du rachat.

— Rentre dans ta chambre. Je ne veux plus
te voir jusqu'à ce que tu te sois humiliée devant
Dieu, jusqu'à ce que tu Lui aies demandé pardon
à genoux dans la honte et les larmes. Et puis, il
faudra que tu renonces à parler à ce musulman...
Nous avons assez de soucis comme cela, notre
tâche est trop grande pour nous préoccuper des
misères de P... Un jour tu comprendras. Un jour
tu diras Père avait raison.

Elle ne veut plus rien voir de cette scène qui
la transperce comme la mort. Elle ne veut pas
s'agenouiller dans l'injustice, recevoir les coups du
pardon et de la guérison. Elle court se jeter sur son
lit pour pleurer de rage. Elle bat son oreiller de
coups de poings à tout défoncer. Qu'il paie lui !
Que quelqu'un paie, mais pas elle et pas P... Que
la lumière se fasse enfin. Que les nuages fuient,
que la vie reprenne. Elle sent une main sur sa
tête. C'est Mère qui essaie de la calmer, Mère et
la main du compromis, la main de la réconciliation, la main qui se sacrifie toujours pour les
autres, la main qui accepte d'être clouée pour que
les autres vivent et connaissent la Vérité.

— Il ne faut pas pleurer comme cela. Voyons,
demande à Dieu de t'aider. Tu ne vois pas que
tu entres dans le jeu de Satan, l'ennemi de Dieu,
l'ennemi des âmes, qui cherche à nous désunir

en tant que famille, parce que la famille représente une force, une digue contre le mal qui règne sur la terre. Voyons ma chérie, essuie tes larmes et demande pardon à Dieu et à ton père pour que la paix règne.

Mais rien n'arrêtera sa révolte, rien ne la réconciliera avec leurs idées. Elle ne veut plus être l'enfant qui se cache pour éviter les coups, la fleur qui pousse à l'ombre pour éviter l'abeille, le ver qui reste dans sa coquille parce qu'il a peur de devenir un papillon. Il lui faut de l'espace, elle le prendra si on ne le lui donne pas.

Mère est partie courbée, petite, sacrifiée. C'est elle qui va encore recevoir les coups, c'est elle qui va payer la rançon. Elle entend la voix de Père, cassante, dure :

— Encore... tu vas vers elle... tu la consoles... tu es trop faible avec eux, c'est pour cela qu'ils font ce qu'ils veulent...

Elle s'accoude à la fenêtre, la tête dans les mains, respirant l'air qui vient de la rue. Quelle chance cette rue, cette fenêtre qui porte sur la rue ! C'est presque aussi rassurant que la mer, que le bruit des vagues contre la falaise, que sa main caressant la sienne. Elle se sent entraînée dans sa rue, dans les groupes d'étudiants. Le bar du coin allume de ses deux lanternes rouges la silhouette d'hommes qui attendent.

50

Elle voit une ombre qui s'allonge sur le bâtiment d'en face : des épaules un peu carrées, une
allure nonchalante, cette ombre lui ressemble. C'est
une ombre qui l'atteint en plein cœur, qui lui
parle. C'est l'ombre de l'espoir. C'est là qu'elle
veut se réfugier. C'est toute la Palestine de l'espoir.
C'est tout ce qui fait battre son cœur et qui la
transporte dans les régions du retour et de la vie.
Elle se sent plus forte, protégée par les ailes de
l'ombre, réconfortée par sa présence, par son ap-
pui, par sa vision.

Mère est entrée. Elle fait prier le petit frère qui
est déjà à moitié endormi, suçant son pouce et souriant aux anges. Mère s'approche d'elle pour la
faire prier. Elle s'agenouille dans la tendresse de
Mère, dans la bonté de Mère, dans la douceur de
Mère.

— Merci mon Dieu d'avoir ramené notre fille
au bercail. On cherche à la ravir de notre main.
On cherche à la ravir de Ta main. Veuille étendre
Ton bras secourable et protéger tous tes enfants.

Le grand cœur de Mère, la générosité de Mère,
la souffrance de Mère qui ajoute :

— Et maintenant, veuille lui donner le repentir.
Rapproche-nous de Toi pour l'amour de Ton nom.
Amen.

Mère a la voix douce et chantante. La prière
s'est répandue dans la chambre. Elle imprègne
l'espace vide. Elle fait vibrer les murs. Mère prie

avec conviction. C'est toute la mélodie de son enfance qui rejaillit. C'est toute la paix du salut éternel qui est invoquée.

Et le miracle se produit. Mère l'entraîne vers la chambre de Père où elle s'entend murmurer :

— Pardon.

On lui arrache la promesse de ne plus le voir. Elle ne peut pas reculer. Mais une promesse est sacrée. Comment a-t-elle pu se laisser aller à la faire ? On la lui a arrachée dans toutes les souffrances de Mère, dans la douceur de Mère, dans son chagrin de ne pas être ce qu'ils voudraient qu'elle soit. On la lui a arrachée dans la rage de l'été, dans le sang de la mer, dans les corps d'enfants calcinés, dans les cris du mendiant mutilé et dans la guerre des épées et des canons et de la haine. On la lui a arrachée parce qu'elle est faible, d'une faiblesse de vie, parce qu'elle ne sait pas lutter, parce qu'elle laisse parler son cœur, sa tendresse, la vie. On la lui a arrachée parce qu'on ne veut plus de la Palestine, parce qu'il faut anéantir les êtres pestiférés, parce qu'il faut les reléguer au fond de l'oubli, au fond de l'abîme, là d'où ils ne ressortiront plus jamais.

Elle se jette sur son lit et s'endort dans les pleurs. Elle rêve qu'elle est sur une mer d'huile. Mais plus elle s'approche des rochers et plus la mer devient houleuse. Elle crie qu'elle va être fracassée, qu'elle voudrait retourner en arrière, qu'elle voudrait retrouver l'huile et le silence, mais personne ne l'écoute et les vagues l'entraînent toujours plus vite. Elle se sent happée dans un tourbillon qui l'engloutit.

Elle a refusé de le revoir. Elle a dit non à la Palestine et à l'espoir qu'il lui avait permis d'entrevoir. Elle a dit non au secret qu'ils avaient emballé ensemble au bord de la mer. Jésus cloué pour une seconde fois sur la croix. Toute la Palestine violée pour une seconde fois. Son horizon fermé et voilé sans un geste de sa part. Toutes les femmes voilées, cloîtrées, battues, mutilées sans une révolte, sans un geste d'agression ou de défense.

Les journées se succèdent. Les lendemains sont gris et pluvieux. Elle a dans sa bouche le goût amer du cauchemar, de la peur et de la défaite. D'énormes taches violettes lui soulignent les yeux et elle sent dans son dos comme une barre qui lui rend chaque mouvement difficile. La ruelle en bas de la maison est boueuse et pleine de trous d'eau sale. Elle les enjambe en pensant à l'été : passé d'horreurs et de sang versé inutilement. Tout est toujours à recommencer. Et tout recommence toujours dans le sang. D'énormes flaques de sang ont miroité tout l'été un ciel lourd chargé d'orage, un ciel menaçant et ténébreux. Il n'y aura plus jamais d'espoir. Il y a eu trop de sang. Il y a eu trop de haine. Il y a eu trop d'enfants crucifiés. Il y a eu trop de vieillards la bouche trouée de peur. Les voitures klaxonnent avec impatience et les chauffeurs de taxis jurent et crachent plus que de coutume. Pourquoi la vie reprend-elle toujours avec la même violence ? Qu'un seul cri retentisse pour que le mouvement de cette rue s'arrête !

Il n'y a personne dans la cour de l'école. Les élèves se pressent à l'intérieur pour éviter la pluie et le froid. Les classes sont humides et sombres, les murs gris, la leçon monotone et vide. Tout se passe comme si rien ne s'était passé cet été, comme si rien ne s'était passé hier, comme si l'enfant n'avait pas crié avant de mourir, comme si le petit marchand du coin n'avait pas été réduit en bouillie par la bombe. La géographie des Etats-Unis s'étale au tableau, une terre morcelée et divisée, une terre unie pour profiter. Toute la géographie de son pays ne tiendrait pas un point de cet espace. La raison du plus fort. Les G.I. qu'on retrouvera au port. Et les chansons d'Elvis Presley qui feront frétiller les jeunes gens du quartier qui, hier encore, tenaient d'une main le klashinkof et de l'autre la croix du Christ. Oh ! partir sur un grand bateau très loin, toute seule, retrouver la Palestine avec lui, s'unir à la Palestine en lui, prendre la Palestine à cause de lui. Fuir l'hypocrisie et les préjugés, les sourires ambigus et la tyrannie de Père.

Qu'est-ce que ça peut lui faire que les Etats-Unis aient un nombre important d'états unis ? Ne sont-ils pas venus la diviser, l'écarteler, la massacrer ? N'ont-ils pas rongé en elle sa vitalité, la moelle qui rendait son passé fécond et son avenir ouvert ? Chicago étend ses tentacules et New York ses pinces. Chacun s'approprie ce qu'il veut, sans penser à l'autre, sans vouloir ressentir les conséquences de ses actes. Ils sont coupables et ils la rendent coupable. Quand prendra fin ce déferlement de haine et de monstres ? Quand s'arrêtera ce défilé de squelettes et de ventouses ?

Un jour, Rima lui propose une excursion vers l'école palestinienne où P. enseigne. Un violon dans les mains, le conservatoire pourra attendre aujourd'hui, elle se serre à l'arrière de la voiture.

Elle est en train de trahir la confiance de Père. Elle piétine quelque chose qui lui fait mal. Mais quelqu'un n'est-il pas toujours trahi et piétiné quelque part ? Même sa respiration tue quelqu'un quelque part. S'arrêter de vivre. Mais même cela est une trahison. Elle refuse de penser. Elle est étonnée des quartiers qu'ils traversent, quartiers des réfugiés druzes, quartiers dont elle ignorait l'existence, quartiers qui sentent la misère et la faim. Les ruelles sont étroites et dégagent une odeur âcre. Une quantité d'enfants en guenilles, sales et couverts de mouches marchent et jouent pieds nus dans la boue. Ils regardent la voiture passer avec de gros yeux ronds.

Puis les ruelles deviennent des sentiers de terre et l'on quitte les minuscules baraques aux toits de tanak pour des tentes dressées un peu partout. C'est un des camps des réfugiés palestiniens. Ici la misère est effrayante et les rigoles d'eau sale mélangées aux excréments, eau de lessive, eau de pluie, eau insipide s'échappant des tentes où des familles entières vivent entassées les unes sur les autres. Une jeune fille en uniforme des guerillas, fusil sur l'épaule, monte la garde. On nomme P. C'est un passe-partout. La jeune fille leur sourit et les laisse passer. C'est le P. de l'espoir, qui ouvre les portes. C'est le P. de la réconciliation. Une foule d'enfants noirs de saletés dévisagent la voiture qui les couvre de poussière, chassant du même coup les mouches rivées à leurs yeux ronds. Yeux qui posent des questions insolubles. Voiture brisant le silence de l'exil. Poussière mélangée de mouches et de remords. L'innocence brisée avant même d'être née. Comme elle admire P. qui travaille pour que l'espoir renaisse ! Quelque part dans son cœur, une fibre a vibré. Ici le salut se fait sur la terre et c'est P. qui travaille à ce salut. Le message de la tente d'évangélisation paraît bien fade à côté de ce travail concret et vital. Là-bas on échappe à l'ennui et aux remords, ici on travaille à la vie.

Le seul bâtiment de béton blanc, au toit plat, aux larges fenêtres, s'élève au bout du sentier. Les têtes se dressent aux coins des fenêtres. Les yeux s'écarquillent et questionnent. La voiture, objet de luxe et de conquête, garée dans un coin, entrouvre les bouches et l'attente des enfants qui se serrent en tas, pressés de comprendre. Yeux bruns palestiniens, regards inquisiteurs et tourmentés, regards de conscience, regards de problèmes. P. aussi a une flamme allumée au fond des yeux, une flamme qu'elle ne lui a jamais vue. Il y a un appel dans son regard, un appel qu'elle lui renvoie dans le croisement éblouissant de leur communication.

Il n'a pas terminé et fait signe aux enfants de se rasseoir et d'attendre la fin de l'histoire : ...c'était il y a des années, dans un pays appelé la Palestine, Samir, un petit garçon vivait à Jéricho dans des montagnes couvertes de végétation et de plantes acidulées, d'oiseaux aux chants roucoulants et aux vols assurés. Sa famille n'était pas riche, mais elle avait un puits à l'eau toujours fraîche et pure, une vache au lait crémeux et riche, quelques poules aux œufs gros et délicieux.

Un jour, c'était en juin, trois avions noirs sont venus survoler leur maison, oiseaux sinistres porteurs de malheur qui firent s'enfuir les autres oiseaux. Le lendemain, ces mêmes avions venaient les bombarder. Samir sortit précipitamment de la maison avec sa famille pour se cacher dans la montagne. Ils laissaient derrière eux, la maison, le bétail et le puits, pensant les retrouver après le départ des avions.

Ils arrivèrent chez un vieillard dont la femme les invita à se cacher. Les avions les avaient suivis. La femme dut quitter son mari pour fuir avec eux car l'homme était trop vieux et refusa de partir. Samir vit une vache errante. Elle avait blessé un enfant, le sang coulait de sa tête. La nuit, ils s'arrêtèrent sous un grand arbre. Il y avait des oiseaux endormis dans les branches. Ils s'endormirent aussi.

Au matin, les oiseaux avaient fui. Le ciel était couvert d'avions noirs et de fumée. Prenant pour exemple les oiseaux qui avaient fui, sa famille décida de partir sur les routes brûlées par le soleil et par les bombes. Mais Samir veut retourner à la maison de son enfance. Il veut revoir le puits. Il a soif et veut boire l'eau de son enfance. Il a laissé une boîte dans sa chambre, une boîte qui contient tous ses trésors et ses secrets. Echappant à la surveillance de sa famille, il court à travers la montagne. Il arrive près de sa maison et court au puits. Il veut boire l'eau de son puits. Mais un soldat à l'uniforme inconnu lui barre le chemin et l'empêche d'approcher. Il se précipite vers la maison et essaie d'entrer, mais elle est occupée. On lui en interdit l'entrée. Il crie qu'il y a une boîte dans la chambre, une boîte qui lui appartient, à lui, Samir, une boîte qui contient ce qu'il a de plus cher, mais on le frappe et il est obligé de fuir de nouveau du côté de la montagne. Il pleure avec amertume. Il lui semble avoir laissé là-bas une partie de sa vie et de ses espoirs qu'il ne retrouvera plus jamais. Il voit une vache errante qui vient de blesser un enfant. Il s'endort sous un arbre. Au matin, il fuit en direction du vent. Il atteint la frontière du Liban qui devait devenir son refuge. Il n'avait ni mangé ni bu depuis plusieurs jours. Il tomba d'inanition.

Petit à petit, il s'installa dans les tentes d'un des camps des réfugiés avec une famille qui l'avait pris en pitié. Quand Samir constata que la Palestine était perdue pour lui et pour les siens, il se dit que le peuple ne devait pas accepter le fait accompli, qu'il devait s'entraîner en vue du combat. Samir entendit parler du premier contingent de « Lionceaux » du Fath. Il rejoignit ce camp. Là, il s'entraîne au maniement de toutes sortes d'armes et d'équipement, à la conception et à l'exécution d'opérations. Ils font des marches populaires dans le camp et dans les villages. Il suit des cours sur la Résistance en Palestine, sur la guerre populaire de libération, sur les Révolutions chinoise et cubaine et sur Guevara. Quand il aura quinze ans, Samir participera à des opérations. Samir a perdu sa famille et sa patrie, mais il a retrouvé un sens de dignité, de courage et de fraternité. Il n'est plus seul car tous ses camarades lui tiennent la main et ils forment un cercle invincible.

La voix de P. s'est faite grave. Ses mains sont tendues vers les enfants qui le regardent avec intensité, comprenant l'importance du moment et l'appel caché de l'histoire. Elle saisit, elle aussi l'appel de l'Histoire. Il n'y a pas d'hésitations. Elle veut répondre à l'énorme soif de justice qui la ronge. Il faut qu'ensemble ils aillent retrouver la boîte magique, la boîte que Samir a dû laisser derrière lui.

Ils sont de nouveau au bord de la mer, couchés dans le sable, enlacés dans leur vision. Ils ont laissé derrière eux le camp et ses problèmes, ses enfants aux regards chargés de questions. Ils ont aussi laissé la ville et sa chaleur, ses poussières et ses cadavres, ses rues gorgées de sang et de haine.

Il lui fait part de ses plans : l'emmener dans un pays du désert où il compte aller l'année suivante pour enseigner :

— Je t'enlève à ta famille, à ton passé. Ensemble nous traverserons la mer et les sables, ensemble nous irons vers le pays de mes rêves où nous construirons un nouveau monde toi et moi. En-

semble nous boirons l'eau du puits de mon enfance et ensemble nous retrouverons la boîte
magique de mon enfance qui nous aidera à construire ce rêve, qui nous montrera comment orga-
niser un nouveau peuple capable de se défendre,
de vaincre et même de conquérir...

— Mais j'ai peur des conquêtes, et j'ai peur du
sang. J'ai peur de ma famille et du mal que je
peux leur faire. J'ai peur de la ville et des gens,
de tous ces yeux qui nous regardent pour nous
dévorer : un musulman et une chrétienne, enlacés
dans le sable. On tue à moins dans ce pays. J'ai
peur des grands déserts tout nus qui sont peut-être
privés de ces mirages de l'eau de ton enfance. J'ai
peur de toutes ces choses, mais je veux t'aider à
réaliser ton rêve car tu es devenu ma vie. Je tra-
verserai la mer et les déserts avec toi et je t'aiderai
à retrouver la boîte de ton enfance.

Leurs doigts et leurs bouches se mêlent dans
le sable. La mer déferle sur eux et le vent les
caresse. Les mouettes planent très bas, regardant
cette union qui s'ébauche malgré la haine de l'été,
malgré les corps mutilés, incrustés de croix et de
croissants, déchiquetés sous la lune, jetés sur ce
même sable, emportés dans cette même mer. Peut-
être que l'amour triomphera après tout. Peut-être
que l'amour arrivera à transformer les haines,
les jalousies, les mesquineries en espérances, en
foi et en paix. Peut-être que l'amour prendra ces

corps, ce sang, ces camps rasés, ces oiseaux et ces enfants calcinés pour en faire une nouvelle terre, de nouveaux arbres, de nouveaux fruits, de nouveaux êtres. Elle se sent traversée de foi et de paix.

Mais l'orage plane. Dans la ville les bandes armées se réorganisent. Les coups de feu éclatent d'un peu partout. Pourront-ils triompher de ce nouveau déchaînement de haine ? L'amour trouvera-t-il des issues à ce nouveau cercle infernal qui est en train de se tramer, de se tisser dans l'ombre ? Réussiront-ils à briser les murs qui s'érigent autour et entre eux ?

A la maison, un silence inhabituel règne. Père est nerveux. Mère, silencieuse et comme repliée sur elle-même. Ses lèvres tremblent et bougent. Elle doit sûrement être en train de prier. Père prépare un nouveau voyage en Arabie pour aller prêcher aux musulmans le salut, pour les convertir, pour leur apporter la vie éternelle. Il doit sentir qu'il se passe quelque chose. Il l'observe et la surveille. Il retarde son voyage. Il ne lui parle presque pas. Ses silences annoncent l'orage et la tempête. Elle devient de plus en plus consciente qu'il doit savoir quelque chose. Ces attitudes, ces regards, ces prières, ces repas lourds et longs, ces silences lui sont familiers. Il se prépare quelque chose. Quelque chose va éclater dans cette maison. Quelque chose va exploser dans la ville. C'est une attente angoissante. Elle se rétrécit de plus en plus dans les coins de la maison pour éviter Père, pour ne pas avoir à soutenir son regard, pour ne plus voir l'agenouillement de Mère, pour ne plus sentir la menace et les reproches qui la suivent partout.

Puis, un soir humide et pluvieux où elle est rentrée en retard du conservatoire, prétextant la pluie et les embouteillages, Père rentre dans sa chambre avec un marteau et des clous. Il y a dans ses gestes la détermination du bourreau. La sueur perle sur son front, comme quand il prêche. Son regard est dur, sa voix cassante, sa détermination inflexible :

— Tu nous as désobéi. Tu as trahi notre confiance. Ton attitude est impardonnable, irréparable. Tu dois subir la conséquence de tes actes. Maintenant tu resteras enfermée dans cette chambre jusqu'à la transformation totale et profonde de ta relation avec Dieu et avec nous, jusqu'à ta régénération, jusqu'à une nouvelle naissance. Relis ton évangile, l'histoire de Nicodème et l'histoire de la femme pécheresse. Tous deux vont à Christ pour une nouvelle naissance.

Il s'est mis à clouer les volets de sa chambre, les uns après les autres. Chaque clou est un clou enfoncé dans sa chair, dans sa liberté, dans son

espoir. Elle essaie de dire quelque chose, de se
défendre, mais les sons sortent avec peine. Elle
tremble de tous ses membres :

— Tu viens pour me crucifier... me sacrifier...
me condamner...

— Je viens pour que tu renaisses à la vie éternelle. Ta foi et ton salut sont plus importants que
ta liberté ou même ta vie. Ta foi et ton salut
sont plus importants que tous les saluts de l'Arabie.
Personne ne te ravira de notre main. Personne ne
te ravira de Sa main.

Et les coups s'enfoncent dans le bois et dans
son cœur. Père lui a jeté la pierre. Il veut sa mort
croyant que c'est sa vie. Comment lui expliquer ?
Comment lui faire comprendre ? Comment décrire
et expliquer la Palestine ? Comment lui faire vivre
sa vision de sa vie ? Comment triompher dans
l'amour sans jeter la pierre elle aussi ? Christ
n'a-t-il pas dit de tendre l'autre joue ?

Dehors les mitrailleuses pleuvent quelque part.
Toute la ville semble être de connivence. Ne veut-
on pas la mort de la Palestine ? Ne veut-on pas
sa mort et le renoncement à son rêve ? On
condamne son union avec P. et on condamne leur
vision. C'est toute la Palestine qui est enfermée,
clouée et enterrée avec elle. Au dehors et au
dedans les coups diminuent, le travail s'achève.
Les libertés sont contrôlées, emmurées, étouffées.
L'oiseau pris dans la cage est écrasé. Père la re-

66

garde sans un remords. L'autorité, les connaissances, les systèmes et les dogmes se déplaçant avec lui d'un volet à l'autre, d'un clou à l'autre, d'une pierre à l'autre. Père est satisfait et fier de lui, sûr de son Savoir, sûr de sa Toute-Puissance. Mère n'a plus qu'à s'agenouiller, à accepter, à se plier et le petit oiseau n'a plus qu'à mourir. Toutes les femmes cloîtrées, enfermées, mutilées, agenouillées dans la honte et dans le désespoir.

On récolte ce qu'on a semé. Elle a brisé une promesse. Une promesse est sacrée. Mais on la lui a arrachée cette promesse. Mais quand même, elle l'a faite. C'est avant qu'elle aurait dû résister, dire non, se tenir debout pour ce en quoi elle croyait. C'est avant que la Palestine aurait dû résister, dire non à l'intrus, ne pas accepter l'invasion. Mais le pouvait-elle ? En avait-elle les forces ? Inutile de regretter, le mal est fait. Il faut aller de l'avant. Il faut essayer d'être plus fort maintenant. Il faut essayer d'aller vers la lumière maintenant. Il faut apprendre du passé et aller de l'avant. Mais qu'est-ce qu'elle peut faire maintenant ? Est-ce qu'il n'est pas déjà trop tard ? N'at-elle pas fermé son horizon de ses propres mains ? Elle est enfermée dans une chambre clouée et cadenassée. Comment le revoir ? Comment lui parler ? Comment s'enfuir vers leur rêve ? Comment aller vers la lumière et vers tout ce monde de promesses et de découvertes ? Comment donner aux orphelins la foi d'un avenir ouvert ? Comment reconstruire sur des corps étranglés, sur des lèvres ensanglantées, sur des sexes arrachés et mutilés, sur des membres déchiquetés et sur toute une ville écartelée, rongée et sillonnée de vengeances, de haines et d'injustices ?

Elle a l'impression d'étouffer, d'être asphyxiée petit à petit. Combien de temps tiendra-t-elle ainsi dans ce caveau ? Et est-ce que ses parents oseront ne plus l'envoyer à l'école sans excuse valable, eux qui se rengorgent de ne jamais mentir ? Toute la ville est de connivence de toute manière. On veut l'anéantissement de son rêve. On veut la mort de la Palestine. On veut raser les camps et massacrer les enfants. On veut brûler tout ce qui reste de germes d'espoir plantés à la frontière d'Israël. On veut écraser l'union qui s'ébauche entre une chrétienne et un musulman, étouffer le poussin dans sa coque. On veut mettre des croix sur tous les petits palestiniens qui croupissent de froid, de faim et de misère. On veut détruire ce qui alimentait l'espoir d'un monde arabe transformé, révolutionné et régénéré.

Dehors les coups de feu crépitent, les bombes explosent, les flammes s'élèvent. Quelque part, un cri a déchiré l'espace, rempli son âme d'effroi, troué l'angoisse de sa nouvelle prison. Elle n'est pas seule. Quelqu'un crie avec elle quelque part. Quelqu'un crie pour son angoisse et sa souffrance.

Quelqu'un meurt quelque part. Quelqu'un brûle sur l'holocauste pour que quelque part la flamme de l'espérance s'allume et éclaire le monde, pour que les fleurs de l'automne renaissent et pour que les arbres repoussent sur les collines déboisées.

Mère entre pour prier. Mais toute la douceur de Mère, toute sa tendresse, toutes ses prières ne réussissent pas à transformer cette mort qui vient de s'installer incrustée par ce cri. Mère est courbée et rétrécie par la colère de Père. Toutes les femmes courbées dans le silence des tentes et du désert. Toutes les femmes agenouillées, enveloppées dans des voiles de prières et d'abnégation. La vie circoncie à l'infini. Les yeux éteints par les larmes coulant à l'infini. Mère lui passe une main de glace sur le front. C'est son front qui est brûlant. Elle est tremblante de fièvre. Elle s'endort dans le délire d'une fièvre qui monte, inconsciente d'une forme agenouillée au pied de son lit. C'est Mère qui élève une prière à Dieu pour que quelque part, la foi renaisse.

Elle rêve qu'elle est sur une falaise. En bas la mer vient se projeter en énormes vagues d'écume blanche contre la falaise abrupte. Il y a un frêle bateau à voile qui se profile dans le lointain, une ombre dessus qui lui ressemble. Elle appelle de toutes ses forces. Elle crie qu'elle veut vivre, qu'elle veut qu'on la laisse vivre. Mais les vagues l'atteignent de plus en plus vite. Elle essaie de reculer mais une quantité de mains étendues, mains noires et mains blanches, mains d'enfants et mains d'adultes, mains de femmes et mains d'hommes la repoussent, la rejettent vers la falaise et vers les vagues. La petite barque semble se rapprocher. P. lui fait de grands signes de la main avec un mouchoir blanc, dans l'autre main, il tient le drapeau palestinien. Et toutes les mains la poussent de plus en plus et avec de plus en plus de force. Elle est obligée de sauter de la falaise dans les flots. Mais la barque est beaucoup trop loin. Elle n'arrive pas à l'atteindre. Et les vagues énormes la submergent de plus en plus. Elle n'arrive plus à respirer. Elle se sent sombrer. Au loin, la petite barque est aussi en train de sombrer.

Elle se réveille en criant. Elle se précipite contre la porte mais elle est fermée à clé. La scène de la veille lui revient à la mémoire : Père, les clous, le marteau, les volets, les coups de feu, le cri, la mort, et la chambre noire. Mère lui apporte à manger mais elle refuse. Elle fera la grève de la faim. Le seul moyen de se défendre. Le seul moyen de marquer son existence. S'affirmer, se défendre, lutter, prendre la ville d'assaut, refuser la mort, crier contre les injustices, malgré l'impossibilité de se faire entendre, malgré ces volets cloués, malgré cette porte fermée, malgré la Palestine perdue à jamais, malgré le camp rasé, brûlé, déblayé et malgré tous ces morts qu'on ne peut plus compter.

La chambre semble se rapetisser, les armoires se rapprocher. Les rideaux frémissent. Une armoire penche dangereusement de son côté et va lui tomber dessus, elle en est sûre. Toute la chambre est contre elle. Elle a peur de cet encerclement et de cette emprise même sur sa volonté de résister.

Et les déserts refleuriront à Sa voix. Et les arbres pousseront de nouvelles branches. Et les écoles palestiniennes enfoncées sous les sables recevront l'eau de la résurrection, qui les fera renaître, qui leur donnera l'élan, qui les enverra vers l'espoir. Et les enfants crieront de joie autour des palmiers aux dattes violettes en forme d'œufs et d'oiseaux. Et les vagues de sable se transformeront en fleuves transparents à l'eau désaltérante et pure. Et Samir ira boire l'eau de son enfance. Elle courra avec lui sur des chemins poudreux d'or pur et de lumière. Et tous les enfants les suivront dans un délire de vie et d'amour retrouvés. Et les promesses faites seront tenues. Et les prophéties s'accompliront. Et elle comprendra enfin le sens de son angoisse.

Le sang sur ses mains, les clous des volets enfoncés dans ses mains et Père la regardant avec ironie. Jésus crucifié pour la troisième fois. Jésus refusant la coupe et criant : Aba, Père. Père et Mère agenouillés sur le tapis, priant pour elle, priant pour son salut, pour qu'elle accepte le chemin étroit et sombre de la foi. Paroles de sa

71

grand-mère suisse dans son enfance : souviens-toi toute ta vie de ce que je vais te dire : s'il y a deux chemins devant toi, choisis le plus difficile, c'est sûrement le juste. Jésus a dit : Je suis le Chemin, la Vérité et la Vie. Nul ne vient au Père que par Moi. Une fleur qui s'entrouvre doit se refermer vite avant d'être trop exposée aux rayons dangereux. Il vaut mieux mourir sur cette terre pour renaître à la vie éternelle. Accepter tous les jours la croix à porter. Prendre sa croix et suivre Christ. Tous les jours sur le chemin étroit et sombre de la foi.

Mère agenouillée au bas du lit, femme affaissée, femme humiliée, femme qui accepte la croix à porter tous les jours. Marie gardant tout dans son cœur. Marie agenouillée devant son Fils avec les animaux de l'étable. La douceur de Marie prête à se sacrifier pour Père et pour Fils. Toutes les femmes enfermées dans l'étable, et mutilées et cousues et violées. Toutes les femmes acceptant le crucifix, l'épée qui les châtre et remerciant Dieu pour son Don de Grâce.

Et Père penché sur elle, tenant l'étendard de la Vérité d'une main, les clous et le marteau de l'autre et lui disant de prier l'autre Père, de Lui remettre sa vie entre Ses mains, que Lui saura la conduire au port désiré. Père écrasé par son Savoir et sa Toute-Puissance et l'écrasant comme une mouche prise dans un filet. Père lui parlant d'amour et d'humilité, d'obéissance et de soumission. Père les yeux remplis de larmes. Père pleurant pour elle. Larmes coulant jusqu'à elle. Sincérité de Père qui avance dans son dogme et dans son système. Père qui se sent guidé par le Père plus haut à s'ériger en prophète, à voir ce que les autres ne voient pas, mais à ne pas voir ce que les autres voient. Père intransigeant dans ce qu'il voit.

Mais elle crie, elle crie qu'elle ne veut pas de son dogme. Qu'elle veut vivre, qu'elle veut se connaître et se comprendre, comprendre la vie et cette énorme soif de justice qu'elle sent au fond d'elle-même. Qu'elle ne veut plus des clous, qu'elle ne veut plus du sang, qu'elle veut décrucifier Jésus pour arriver à aller au fond d'elle-même une bonne fois, pour comprendre ce qui en elle ressemble à Jésus et pourra vivre un Jésus loin des dogmes et des systèmes érigés par tous les Pères du monde. Elle refuse de mourir maintenant. Elle refuse leur vision du monde. Elle crie. Elle crie. Elle crie.

Et l'écho de son cri retentit dans la ville. Des centaines de voix crient avec elle dans la ville. Les femmes emprisonnées crient dans la ville. Les femmes se révoltent avec elle et rompent leurs chaînes avec elle. Et les enfants palestiniens dans les camps frappent des mains de joie et d'exubérance. Et toute la ville retentit des cris de son cri.

Lentement, elle se réveille d'un long voyage de fièvre, de délire et de prières élevées au pied de son lit par Père et Mère. Elle essaie de se lever, mais elle tient à peine sur ses jambes. Le miroir lui renvoie une image d'elle qu'elle ne reconnaît pas : petit visage blanc et maigre creusé de deux cercles violets et noirs sous les yeux. Elle regarde ses mains. Elles sont très maigres et décolorées, tachées d'ombres noires. Les clous, le sang. Père, le marteau, les supplications de Père, son cri : Aba, Père, je ne veux pas de cette coupe. Je veux vivre. La grève de la faim et la résistance, enfin la Résistance et la lutte dans les camps. Le refus d'accepter l'arrêté du monde. Le refus de se laisser crever sous un sol qui sent déjà la putréfaction. La foi immense de laisser parler le sang de vie qu'elle sent couler en elle. Puis, la maladie. Elle n'a pas pu résister pendant longtemps. La maladie est venue balayer sa force, arracher son courage, saper ses vaisseaux de la pourpre qui les avait enflammés d'une viscosité nouvelle. Aura-t-elle la force de le rejoindre, de partir vers les horizons qu'il lui a décrits, vers cette ville du désert où des enfants les attendent, perchés sur des arbres, pressés de les suivre, attendant de s'envoler avec eux et de trouver les dattes merveilleuses et les fruits de vie ?

Père et Mère s'approchent d'elle et la regardent avec anxiété. Père est chargé d'un gros paquet emballé dans du papier journal. C'est du hareng fumé. Ça donne de l'appétit. Ça guérit de la fièvre et des soucis. C'est la nourriture du pardon et de la guérison. C'est la manne de la réconciliation. Père le prépare pour elle, pour qu'elle renaisse à la vie et à la foi de son enfance. Père l'arrose d'huile d'olive et de citron. Onction du pain eucharistique. Imbibation par la peau et par les pores du liquide doux et revitalisant. Père lui enfile les bouchées grasses dans un silence aimanté. Mère rompt le pain et la regarde avec sollicitude. Le pain passe de main à main scellant le désir de comprendre et de partager, de retrouver l'écorce de la famille. Père enlève les clous, ouvre les fenêtres. Le soleil déferle comme la mer. Il entre à grands fracas, pénétrant l'ombre de la pièce, transperçant ses membres inertes et anémiques. Elle est éblouie et retombe sur le lit, regardant Père et Mère comme à travers une brume, l'air soucieux et le regard chargé d'angoisse. Va-t-elle mourir ?

Mère parle de la Suisse où ils vont partir dans quelques jours. Ils la mettront dans un camp biblique avec sa sœur. Elle sera près des montagnes et près de Dieu. Elle guérira et retrouvera la paix, la vie en Jésus Christ, le salut et le pardon. Elle respirera l'air pur des montagnes aux cîmes éternelles et elle comprendra la beauté et la grandeur du Tout-Puissant, de Celui qui les a appelés selon

Son dessein. Elle verra la beauté de l'Eternel et dans son cœur quelque chose de ce qu'ils lui ont semé dans son enfance renaîtra, refleurira et la conduira vers le port désiré où elle saura qu'ils avaient raison, qu'elle n'aurait jamais dû se révolter, qu'elle aurait dû accepter tout comme ses frères et sœur, et tout comme ceux qui raisonnent avec un peu d'intelligence, qu'il faut se plier devant Père, qu'il faut accepter la famille et les institutions créées par Dieu, car elles sont une digue contre le mal et le péché qui déferlent de plus en plus sur le monde.

Elle essaie de le voir avant son départ pour la Suisse. La ville est dangereuse. Des camions blindés chargés de soldats aux uniformes inconnus défilent sans cesse dans les rues en direction du Sud. Un nouvel été s'annonce, un été plus cruel et plus effrayant que tous les autres étés. Déjà la chaleur s'est installée avec rage. Déjà des avions venus du Sud ont bombardé des écoles, brûlé des enfants, semé la panique, échauffé les esprits. Déjà la population s'est installée dans ses différences, dans ses récriminations, dans ses divisions, dans ses haines et son désir de vengeance.

Oui, elle sent qu'elle est morte à quelque chose et qu'en elle est en train de naître autre chose.

Mais ce n'est pas ce que Mère lui a prédit. Et elle n'arrive pas encore à définir ce que c'est. Comme Samir, elle a enterré une partie d'elle-même dans ce caveau où elle a vécu pendant plusieurs jours. Comme Samir elle veut retrouver la boîte magique de son enfance. Elle sent en elle les vagues monter de plus en plus vite, c'est une marée qui va l'engloutir pour la transformer, laissant le rivage intact malgré tout, un rivage au sable fin et brûlant, aux cailloux polis et éternels. Les vagues sont toujours nouvelles mais elles font partie de la même mer. C'est l'amour qu'elle sent naître en elle, l'amour qui permet de toujours renaître et de recommencer malgré tout.

Elle arrive à le rejoindre dans une petite ruelle près de l'école. C'est très dangereux de le revoir après tout ce qui s'est passé : un musulman, une chrétienne s'aimant sous un ciel de haine, dans un pays divisé par les dogmes et les religions. Ils risquent la mort, l'assassinat, là, en pleine rue, sous ce soleil qui écrase et qui tue.

En quelques mots elle lui explique la situation. Il faut qu'à son retour de Suisse, il ait tout préparé pour leur départ. Dès son retour, il faudra fuir, il faudra qu'ensemble ils quittent cette ville qui cherche à les exterminer, ces institutions et ces dogmes qui les encerclent de plus en plus pour les étouffer et les anéantir. Elle a peur de revivre tout ce qu'elle a déjà vécu. Elle a peur de mourir une

seconde fois et pour toujours cette fois. La cruci-
fixion ne peut avoir lieu qu'une seule fois. Les
autres fois sont des mirages. Et il ne peut rien
sortir de bon de quelque chose de faux, d'inau-
thentique, de quelque chose créé par une illusion,
par une prétention, par une surface, par une façade. Elle a peur de revivre sa chambre noire, les
cris de la nuit à travers des volets cloués, l'appel
des femmes de son pays à travers une cloison
qu'elle ne peut pas franchir. Et cette impression
d'être asphyxiée, de sombrer de plus en plus vite
dans la fièvre et le délire.

Il la rassure. Tout est déjà préparé. Il l'attendra.
Et, à la fin de l'été, ils traverseront ensemble la
mer qu'elle va traverser dans quelques jours. Ensemble ils iront vers ce pays de sable et de promesses où ils travailleront pour que justice règne
enfin pour son peuple. Il faut qu'elle se recons-
truise, qu'elle retrouve des forces pour la tâche
qui l'attend. Ils pourront enfin triompher ensemble
des différences qui les séparent parce qu'ils
s'aiment.

Il la regarde avec tendresse. Une seconde ils se
serrent l'un contre l'autre dans l'euphorie de leur
promesse. Une fraction de seconde dangereuse
dans une atmosphère qui interdit le frôlement de
deux corps de sexes différents de quelque dénomination qu'ils soient. Ils se séparent vivifiés par
cette étreinte de promesses faites malgré la peur

et malgré les interdictions, malgré le ciel noir de fumées et de cendres et malgré le long été qui les attend, qui les sépare et qui se prépare dans l'horreur de nouveaux carnages, et de nouvelles atrocités.

Lentement le bateau s'éloigne du port. Une brise humide souffle. Elle reste accoudée au bastingage, regardant les montagnes du Liban illuminées dans le lointain. Quel beau pays ravagé par la guerre. Quel nom donner à cette haine ? Quel visage accepter dans ce carnage ? Quels corps reconnaître dans ces cadavres ? Comment l'hospitalité et la générosité naturelles de ses habitants ont-elles pu donner naissance à de tels monstres ?

La nuit est électrique et les vagues semblent refléter une huile d'or. Le bruit du passage du bateau dans les vagues éveille en elle le sentiment d'une vitalité qu'elle pensait avoir perdue. Peut-être que la paix reviendra après tout. Peut-être que les feux de la montagne se transformeront en flambeaux. Peut-être que les canons deviendront des fleurs et des oiseaux. Et peut-être que les vignes et les oliviers déverseront leur vin et leur huile sur des habitants prêts à pardonner, à oublier, à se réconcilier.

Elle pense à la fin de l'été où avec lui, elle

regardera cette même mer, ce même rivage, ces mêmes montagnes, unie avec lui, allant vers un même but, penchée vers l'infini de sa plénitude. Y aura-t-il plus de paix et d'espoir alors profilés dans ces montagnes qui ne font que se réarmer ? Quelqu'un ou quelque chose auront-ils réussi à trouer les masques d'horreur et de rancunes qui cachent les vrais visages des habitants de son pays ? De nouveau, elle est saisie par le sentiment qu'elle doit commencer par elle, qu'elle doit essayer de faire un trajet au fond d'elle-même pour essayer de se comprendre, afin que cela l'aide à comprendre les autres, pour arriver à une solution. C'est douloureux mais essentiel de faire revivre son passé, de faire revivre un passé et d'apprendre par ce passé pour aller de l'avant vers la lumière.

Elle aime les voyages en bateau. Cela lui donne l'illusion de liberté. Le bateau fendant l'eau. Ses cheveux au vent. Et tous les gens avec lesquels elle peut parler et engager des conversations sur leurs vies qui ressemblent si peu à la sienne. C'est drôle comme tous semblent parler des mêmes choses : dernier film, dernière mode, dernier disque, dernière chanson... Où est la guerre qui a ravagé leur vie jusqu'à leur entrée dans ce bateau ? Ils semblent l'avoir oubliée, ou peut-être ne l'ont-ils jamais vécue. Bien cachés dans leurs villas lambrissées et protégés souvent sur les hauteurs d'une montagne inaccessible aux combattants, ils

80

ont regardé le carnage de loin, allant oublier leurs remords dans quelque boîte ou cinéma du coin.

A Alexandrie de nouveaux passagers montent. Elle remarque une jeune égyptienne au regard expressif et triste et aux gestes nerveux qui fume cigarette sur cigarette. Tout de suite elle a été attirée par son allure d'indépendance, ses manières de femme libre, mélangée à ce regard sérieux, calme et doux, combinaison que l'on retrouve rarement chez les femmes arabes.

La jeune femme semble avoir peur. Souvent elle regarde derrière elle furtivement, avec appréhension, comme si elle était poursuivie. Elle ressemble à un oiseau traqué qui essaie de voler. Elle se glisse derrière les barques de sauvetage, se cachant dans les coins retirés du bateau, et perdant son regard sur la mer dans une contemplation qui semble douloureuse. Comment l'aborder ? Comment engager une conversation avec elle ?

Un jour l'étrangère qui l'a aussi remarquée lui offre une cigarette. Mais E. n'ose pas la fumer. Si Père et Mère la voyaient. Elle la tient entre ses doigts pendant un long moment. C'est une clé de passage. C'est tout un monde presque à sa portée. Le jardin défendu aux fruits tentants et juteux, à la pulpe onctueuse et acide. C'est l'entrée dans le monde qui la fera palpiter, qui lui ouvrira le chemin des connaissances et du savoir, où elle s'élancera à perdre haleine, essayant de rattraper le temps perdu, essayant de trouver le pourquoi de l'émoi qu'elle n'arrive pas à maîtriser.

Elle se décide à l'allumer. Sa première cigarette. Elle aspire le goût âcre et salé qui lui donne une impression d'euphorie qu'elle cherchera souvent à retrouver par la suite. Le bateau fendant l'eau, les cheveux au vent, la première cigarette, le vent marin, combinaison de liberté et d'exaltation qui la rapproche de l'étrangère.

Celle-ci lui pose des questions : d'où vient-elle ? Où va-t-elle ? Pourquoi est-elle si nerveuse quand elle fume ? Est-elle surveillée ? Et tout en parlant, elle regarde derrière elle comme si elle-même était surveillée, et elle a un tic nerveux qui lui plisse les yeux et qui donne à son regard une intensité de fièvre, et elle perd son regard sur la mer comme pour le reposer dans l'infini.

E. ne sait pas pourquoi mais elle s'ouvre à l'étrangère. Elle lui parle de sa vie et de ses projets. Elle lui raconte la guerre, l'acier et la mort. Elle lui parle des camps de la faim et de la misère. Elle lui décrit la ville cousue de haines et de vengeances. Elle lui parle de sa famille et de leurs croyances, de leur foi dans un salut transcendant, et de la tente d'évangélisation où tous les soirs une foule se presse pour oublier ses problèmes. Elle lui fait part de ses doutes, de ses craintes, de sa découverte de l'amour. Elle lui parle de P., de leurs projets, de ce pays du désert où ils s'achemineront à la fin de l'été pour réaliser un rêve d'amour, de paix et d'espérance.

Mais l'étrangère s'est mise à pleurer, d'abord doucement, puis avec toujours plus de force. Maintenant son corps est secoué de frissons et elle hoquette. E. essaie en vain de la calmer. Elle lui lisse les cheveux avec tendresse. Elle lui pose des questions. Qu'a-t-elle dit de si effrayant, de si angoissant ? Est-ce sa description de la guerre et des camps qui la bouleverse à ce point ?

L'étrangère tourne vers elle son visage, un regard traqué, mouillé de larmes amères. E. est prise de peur et d'impuissance devant cette détresse qui vient d'éclater, devant cette plaie qui vient de s'ouvrir, devant ce déferlement d'amertume, devant ce mal envahissant qui se profile. L'étrangère essuie ses larmes et se durcit. Elle regarde E. avec intensité et d'une voix rauque et encore tremblante elle lui jette dans un cri :

— Ne pars pas avec cet homme. Ne va jamais dans ce pays où tu crois que tu vas réaliser certains rêves, où tu crois que tu pourras vivre et être libre, où tu crois qu'une femme est respectée et peut se tenir à côté d'un homme et avancer dans l'égalité et le respect mutuels. Moi, j'en viens. Moi, je suis en train de le fuir. Je me cache car j'ai peur d'être poursuivie. J'ai peur qu'un de mes frères ne soit monté sur ce bateau et ne me ramène de force ou ne me tue, jetant mon corps dans cette mer. Cela serait facile. Qui le saurait ? Qui le punirait d'ailleurs, puisque la société approuve ces crimes et même les encourage.

Elle jette le bout de sa cigarette dans la mer, le regardant tristement qui disparaît happé par les flots. Présage ? Miroir ? Reflets ? Echo d'une âme à la recherche d'une autre âme, à la recherche d'une communication, d'une compréhension, d'une envolée au-dessus des murs, des cloisons et des voiles. Elle allume une autre cigarette avec rage. Ses yeux sont perdus à l'horizon, son front plissé, son cou tendu. Sa bouche a un rictus amer et ses mains tremblent. Elle se tourne de nouveau vers E., semblant hésiter à lui dire quelque chose. Elle la fixe pendant longtemps. Puis elle parle d'un trait, comme pressée de se libérer d'un poids qu'elle porte depuis son entrée sur le bateau :

— Sais-tu ce qu'on leur fait aux femmes là-bas, à l'âge de la puberté, ou même avant, ou encore avant leur mariage si par mégarde, elles avaient réussi à échapper à la surveillance des vieilles ? Connais-tu la souffrance dans la chair même, la brûlure, la déchirure, l'arrachement de cet organe délicat et sensible logé entre les deux jambes, l'excision, l'ablation du nerf appelé clitoris, ce bouton du désir et les petites lèvres et les grandes lèvres elles aussi coupées, mutilées, excisées, et la plaie qui saigne et qui saigne et qui saigne à n'en plus finir, et les jours et les semaines d'immobilité dans le noir, les jambes attachées par des cordes, le corps secoué de spasmes, et le sentiment de honte et de honte terrible, et les cris des femmes, et la douleur lancinante et qui n'en finit plus, quand tu sais que ton corps ne sera plus jamais le même, quand tu sens qu'on t'a enlevé quelque chose qui te donnait la possibilité de vibrer, de palpiter, quand tu as peur de mourir de tout ce sang qui s'échappe de ton corps, quand tu sais qu'on a transgressé ton corps, qu'on t'a déjà violée, qu'on t'a enlevé une partie de vie, et qu'à la place on t'a cousue, ficelée, fermée pour que tu ne puisses plus jamais respirer, t'ouvrir à la vie, à la tendresse, à la rosée des matins du désert. Et que les femmes crient, crient, crient, heureuses de se venger de ce dont la vie les a privées, elles aussi, heureuses de voir que le sang continue, que la souffrance ne s'est pas arrêtée à leur propre corps et que le cercle infernal se perpétue, et tourne et tourne et tourne... Que fais-tu toi ? Pourquoi ne brises-tu pas le cercle comme je le fais moi ? Pourquoi ne te révoltes-tu pas avant qu'il ne soit trop tard, avant que toi aussi tu ne deviennes une excisée ? Tu as vécu la guerre. Tu as vu l'horreur du sang versé dans les rues, sur la terre, à l'extérieur de toi, mais si tu devais vivre ce sang et cette honte et ces horreurs que tu m'as décrites, ces corps mutilés, ces sexes arrachés, ces cadavres violés, si tu devais vivre tout cela à l'intérieur de toi, dans ta chair même, alors que ferais-tu ?

E. a l'impression d'avoir affaire à une folle. Elle ne comprend pas bien la portée des paroles de l'étrangère. La sexualité a toujours été un sujet tabou à la maison et les descriptions de la jeune femme lui donnent un mal de cœur qu'elle n'arrive pas vraiment à définir. Elle pressent une soulevée amère vers des régions inconnues de violence plus cruelle que ce qu'elle a déjà connu. Sa sensibilité a été exacerbée et des sentiments contradictoires sont tendus à fleur de peau par les descriptions de l'étrangère. Elle est crispée et ne sait que dire. Le regard de l'étrangère a pris une teinte sinistre. Son visage est pâle comme la mort. Tous ses mouvements semblent concentrés sur la cigarette qui brûle de son point rouge de cendres soulevées de pourpre et de violet. Son corps a un tremblement nerveux, spasmodique qu'elle n'arrive pas à contrôler. Elle regarde dans toutes les directions avec frayeur. On dirait un petit oiseau pris dans un grand filet. Ses grands yeux noirs et tristes la fixent de nouveau pendant très longtemps de cet air égaré et ravagé d'un être qui ne sait plus où aller, vers qui se tourner. Puis elle disparaît derrière une barque de sauvetage comme un enfant qu'on vient de frapper pour quelque chose d'injuste, de monstrueux, de dévastateur, et qui ne veut pas montrer ses larmes, qui ne veut pas se laisser aller à son chagrin devant un spectateur ou devant son miroir.

Les jours suivants, elle cherche en vain l'étrangère qui semble avoir disparu. Elle arpente le pont du bateau, regarde derrière les barques de sauvetage, mais il n'y a pas trace de l'égyptienne. Cette dernière a-t-elle vraiment existé ? N'a-t-elle pas rêvé toute la scène ? Puis elle se souvient de certaines paroles de l'étrangère : « Peut-être qu'un de mes frères m'a suivie... » Et si c'était vrai ? C'est le genre de crime qui se produit tous les jours dans son pays. Sauver l'honneur de la famille à tout prix. Laver l'honneur dans le sang ou dans la mer. Elle se penche pour contempler la mer qui subitement lui semble noire et menaçante. Elle a un sentiment terrible d'angoisse qui lui étreint la gorge. Elle voudrait comprendre. Elle voudrait trouver. Elle regarde dans les cabines à travers les hublots. Elle soulève des canevas qui recouvrent des voitures ou des caisses. Elle suit des traces parmi les cordages. Et toujours elle revient à la mer qui semble impassible et cruelle. Pourquoi ne vomit-elle pas tous ses secrets pour une fois ? Pourquoi ce calme alors que tous les jours elle avale des corps et des cadavres et se gorge de secrets comme un sphinx qui avale celui qui ne comprend pas ce qu'il veut qu'on comprenne ? Subitement, elle a peur d'être en train de contempler son image qui s'effrite dans les flots soulevés par la force du vent.

Car voici, le jour vient,
Ardent comme une fournaise.
Tous les hautains et tous les méchants seront comme du chaume ;
Le jour qui vient les embrasera,
Dit l'Eternel des armées,
Il ne leur laissera ni racine ni rameau.
Mais pour vous qui craignez mon nom se lèvera
Le soleil de la justice,
Et la guérison sera sous ses ailes ;
Vous sortirez, et vous sauterez comme les veaux d'une étable.
Il ramènera le cœur des pères à leurs enfants,
Et le cœur des enfants à leurs pères,
De peur que je ne vienne frapper le pays d'interdit.

Elle a rejoint le camp biblique où Père et Mère veulent qu'elle se retrempe, qu'elle se replonge dans l'eau première des sources de son enfance, qu'elle soit rebaptisée, purifiée, transformée pour une vie nouvelle, pour qu'en regardant les montagnes sublimes aux neiges éternelles, elle comprenne la grandeur du Tout-Puissant, pour qu'elle s'agenouille devant le Père Eternel et Le remercie de l'avoir aidée à franchir les mers houleuses et dangereuses et de l'avoir conduite au port désiré de son nom. Tous les soirs le chef du camp les rassemble autour de l'étude de la Bible et pour les prières qui s'élèvent en grande simplicité dans le calme et la fraîcheur des nuits écrasées par les Alpes sublimes.

Comme Beyrouth barricadé d'engins de mort est loin, et comme sont loin les oliviers, les orangers et les pommiers tordus de peur, la vigne accrochée désespérément aux lambeaux de murs, et les matins rougis du sang des nuits.

Un jour, elle prend un sentier détourné pour être seule, pour réfléchir, pour penser à ce passé orageux de guerre et de violence qu'elle a laissé derrière elle, loin, de l'autre côté de la mer et pour considérer cet avenir qui l'attend dans ce désert qui vibre sous un soleil d'or et de vie. Elle s'enfonce dans la forêt, quand, soudain, le nom de Père prononcé distinctement à deux pas d'elle, la fait tressaillir et s'arrêter. C'est Monsieur A. et Madame M. du groupe biblique qui sont assis sur un banc derrière l'arbre qui la cache. Elle retient son souffle, visée par les bribes de phrases qu'elle commence à saisir et qui, de plus en plus vite, et de plus en plus fort, l'atteignent en plein cœur et la paralysent d'horreur et d'effroi :

— Ces arabes... Il n'y a rien à faire... ce sont des menteurs et de la pire espèce... il est impossible de leur faire confiance ou de croire ce qu'ils disent... leurs paroles sont toujours coupées... leurs paroles sont toujours fausses, reflets de leur âme double... Tu es déjà allé là-bas, comme il faut marchander pour tout. Ils n'ont pas une seule parole. Ils aiment exagérer et enjoliver. Ils ne disent jamais ce qu'ils pensent vraiment.

— Oui et ils ont, paraît-il, toute une série de tournures de phrases de politesse qu'ils répètent à différentes occasions sans leur attribuer une portée véritable et profonde. C'est quand même aberrant cette mentalité ! Pas étonnant que Dieu ait choisi un Peuple Elu dans des circonstances pareilles, entouré par tant de fausseté et d'hypocrisie.

— Oui, Dieu est Juste et Israël triomphera malgré sa faiblesse et dans sa faiblesse. Tout comme David avait triomphé du géant Goliath, Israël remportera la Victoire sur le Mal. C'est le miracle du désert qui refleurit, du figuier qui bourgeonne et de la vigne qui verdit. Israël, c'est le miracle de la Résurrection.

Elle voit des têtes qu'elle reconnaît. Deux personnes parmi les plus ferventes du groupe qui prient toujours avec chaleur et zèle, qui sont toujours les premières à se lever pour faire preuve de foi, qui sont toujours pressées de donner des conseils aux jeunes.

Elle s'efface derrière les buissons, anéantie par la révélation, le souffle coupé devant l'immensité de leur hypocrisie à elles. Les coups pleuvent de toute part. Comme la route sera longue. Suisse et

Arabe : mélange impardonnable, mélange qui fait crier l'enfant avant sa naissance, mélange qui recrucifie le mort. L'Occident regardant l'Orient de toute son arrogance, de toute sa supériorité, de toute sa suffisance et le frappant et l'écrasant. L'Occident délaissant l'Orient après s'être bien gavé, après avoir mangé tout son beurre et toutes ses olives et tous ses fruits et après avoir tué tous ses oiseaux. L'Occident enrichi de la sueur du noir, des muscles du noir, du dos courbé du noir, ses machines huilées de l'Olivier du fellah, son sang renouvelé de la Vigne du bougnoule, et toutes ses villes bâties du grand gémissement des esclaves.

L'homme a rétréci Dieu et L'a fait à son image. Une image tordue et tortueuse comme ce qu'il est lui, homme imparfait, hypocrite et menteur. Dieu propre-juste et qui juge depuis en haut. Et l'homme ne se rend même pas compte qu'au lieu de laisser parler Dieu en lui, c'est lui qui parle et fait Dieu, et fait son Dieu et écrit des lois qui encerclent, qui restreignent, qui assujettissent l'homme et rétrécissent Dieu.

Mais, non, Dieu n'est pas cette image étriquée. Dieu vient pour libérer, pour aimer, pour comprendre, pour donner la joie et l'espérance. Mais non, la foi n'est pas une épée qui juge et qui tranche entre le noir et le blanc, entre le bien et le mal, ou qui aligne les hommes contre un mur pour regarder qui est le plus grand, qui est le plus droit.

La foi est une flamme qui grandit avec l'amour et le désir de comprendre avec les prières dans une chambre, seul à seul en communion avec Dieu. La foi se révèle à celui qui l'accepte et qui s'ouvre à elle et la foi lui engendre des fleuves d'amour, de tendresse et de compréhension. C'est un long processus de croissance.

Ne nous jetez plus à la tête votre Dieu que vous avez voilé avec vos dogmes, votre morale du dimanche, ce Dieu terni par vos institutions pourries, par vos églises qui répètent des rituels appris et non sentis.

A celui qui parle à Dieu tous les jours, Il lui révèle Sa Face pure et simple. Il lui enseigne comment aimer les hommes qui lui font du mal, comment marcher avec droiture et sans juger tous ceux qui, autour de lui, marchent en titubant. Il lui donne la force de comprendre ce qui apportera la paix au monde, pour celui qui laissera parler en lui cette paix et qui tendra la main aux dépossédés et à ceux qui souffrent.

La foi, pour celui qui accepte de grandir avec elle, c'est une libération, c'est une flamme d'amour, de générosité et de bonté. C'est un agrandissement de l'être par un souffle de vie et de paix qui se déverse de soi vers les autres. La foi, c'est l'amour, pas le jugement.

Hommes et Femmes du Tiers-Monde
Faites entendre vos voix enrouées par des siècles d'esclavage
Tendez vos mains et vos bras cassés par les chaînes
Et vos dos violacés par les fouets
Relevez-les

Le regard de la femme masquée a d'étranges lueurs qui parlent un langage nouveau
Le bras douloureux du noir a une étrange force qui déchire les voiles d'airain
La femme agressée a la réponse douce qui cautérise la haine et la vengeance
La femme mutilée a pris le sang coagulé de ses plaies et elle en a fait des fleurs d'amour et des jardins de tendresse

Et au lieu de frapper où l'on a été frappé, on prend le caillot fleur de sang pour en faire un bouclier, on ouvre des chemins et on trace des fleuves qui vont vers un monde qui a brandi toutes ses épées et tous ses canons et tous ses fusils et qui, devant cette ouverture nouvelle, se laisse glisser au sol et rampe dans sa déchéance, toute agression anéantie par la subite révélation d'une lumière éblouissante de passion et d'espoir.

Et le petit enfant retrouve la route du fleuve
Et les hommes et les femmes marchent ensemble, côte à côte, vers la lumière.

Le bateau s'éloigne lentement de la côte libanaise. Ils sont l'un près de l'autre : un musulman-une chrétienne, mélange impossible mais réalisé grâce à l'amour, grâce à la foi et grâce à l'espérance d'un monde meilleur, d'un but commun du triomphe des forces de vie et de tendresse. Le bateau fend la mer, la même mer qu'elle a traversée quelques mois plus tôt avec sa famille. Aujourd'hui, elle est avec lui. Elle regarde son profil fier. Elle aime son regard assoiffé de vision. Ses mains caressantes prennent les siennes et l'attirent vers la cabine couchette.

C'était presque hier qu'elle était entrée dans une cabine semblable où l'étrangère lui avait montré la marque logée entre ses cuisses, la monstrueuse cicatrice bleue, bouton du désir arraché, cris des femmes, sang coulant dans la plaine, croix à porter, croissant à brandir, souffrance infinie infligée par force et sans retour, arrêt de la joie, jouissance amputée, extase asphyxiée, femme anéantie

Femmes criant sous chaque tente
Femmes formant un cercle de délire
Et hurlant leur douleur, leur désir de vivre
Larmes coulant jusqu'à la mer
Larmes se mêlant à l'écume
Cicatrices bleues et violettes ensevelies sous les
flots
Et la fille suppliant sa mère de la garder bien au
chaud dans l'enceinte, de la protéger du couteau
et du sang
Et la fille marchant vers la mer, sous la mer

Epousez, comme il vous plaira,
deux, trois ou quatre femmes.
Mais si vous craignez de n'être pas équitables,
prenez une seule femme
ou vos captives de guerre.
Cela vaut mieux pour vous
que de ne pouvoir subvenir
aux besoins d'une famille nombreuse.

Aujourd'hui il l'a encerclée de ses deux bras
robustes. Il la porte sur la couchette humide de
sels marins. Il la caresse avec désir. Tout son être
vibre en face de cet homme qu'elle a suivi parce
qu'elle croit en lui, parce qu'il représente un symbole de liberté et de vérité, parce qu'un lien les a
unis malgré les forces de destruction qui les encer-

clent et malgré la violence d'une guerre qui a planté des cadavres inhumanisés sur un sol labouré de vengeances.

Ses bras se font plus forts. Elle se fait plus tremblante.

Chute du mythe
femme-faible, homme-fort
femme-terre, homme-charrue
Mythe planté, incrusté
Faiblesse, souffrance
Chagrin
Mer de douleur infinie

Il la laboure. Elle se laisse faire. Elle se laisse aller comme un être totalement dénué de vision, comme un non-être. Elle retombe dans la fatalité. Qu'il me guide lui, Lui. C'est lui qui a la vision. C'est lui qui me montrera le chemin : Je suis le Chemin, la Vérité et la Vie. Nul ne Vient au Père que par Moi. Tel est, en toute droiture, mon chemin ; suivez-le donc ! Ne suivez pas les chemins qui vous éloigneraient du chemin de Dieu. Voilà ce qu'il vous ordonne. Peut-être le craindrez-vous ! Palestine, Christ, l'homme de Jaffa, LE CHEMIN qui la laboure, l'épée qui l'écartèle, les clous qui la crucifient. Mon Père, faites que cette coupe ne soit pas trop amère !

Pénètre-moi, ô pénètre-moi et que la torture prenne fin, que tu sois rassasié, satisfait, que tous tes désirs soient comblés, que tu arrives enfin à ton chemin de Damas. Que tu me conduises près des eaux paisibles, où toi et moi vivrons en paix près de verts pâturages, où nous retrouverons la Palestine, où toi et moi nous reconstruirons la Palestine, grâce à toi, parce que tu m'as pénétrée, parce que tu m'as prise, parce que je me suis laissé faire, parce que tout s'est terminé dans ta vision du monde, dans cet emblème que tu portes au cou, emblème de la Palestine, symbole de résurrection et de vie, symbole d'un monde nouveau, de valeurs nouvelles, transformées en écailles qui tombent, qui pleuvent sur le monde, apportant le renouveau tant attendu.

Je suis là, dans tes bras et tu ne me vois même pas. Tu ne vois de moi que ce morceau de chair que tu tiens dans tes bras, que cet être mythologique que tu transformes en pâte à modeler, que tu modèles d'après une idée définie, préconçue, enseignée depuis des siècles, apprise dès ton enfance quand tu n'étais qu'un petit garçon dans la grande maison de Jaffa où ton père te disait : « Tu vois, mon fils, il faut une charrue et des bœufs pour labourer la terre, et il faut la graine pour l'ensemencer. Ensuite, il faut prier Dieu pour qu'Il fasse pleuvoir du ciel sa miséricorde. » Et toi, tu l'écoutais, attentif, croyant que vous auriez toujours une terre, une charrue et des bœufs, et croyant que Dieu sourirait toujours depuis le ciel, vous envoyant pluie et bénédiction, vous rassasiant de sa manne.

Tu es expert mon ami. Tes doigts me pénètrent jusqu'à me faire sentir qu'il y a quelque chose qui existe et qui pourrait naître entre toi et moi, une étincelle de compréhension, tout un monde de tendresse si seulement tu te laissais aller à t'écouter, à laisser parler ce qu'il y a là au fond de toi et que tu caches sous l'agileté de tes doigts qui me parcourent. Et tu pénètres ma chair en expert qui sait où aller. Tu connais les plis de ma mythologie, mais tu ne me vois pas. Tu ne peux pas me voir parce que tu ne me regardes pas. Tu es trop occupé à te regarder toi-même. Et moi, je reste là, les mains vides, le ventre vide, les cuisses écartelées, tout mon être assoiffé de tendresse, de rencontre, de découverte, tout mon être attendant que l'explosion ait pris fin pour que mon éclosion puisse commencer, pour que je puisse faire parler mon attente et pour que ton regard me voie.

Femme qui court vers la lumière
Femme dont l'élan est coupé
arraché à la base
Femme qui travaille avec patience au fond d'elle-
même
pour que d'autres femmes voient la vie

Femme figée dans son silence
Femme crucifiée dans sa souffrance

Et le petit enfant quitte le sein maternel
Il s'élance vers le fleuve où le dragon l'attend
le monstre à sept têtes qui prépare la fin

Les côtes se profilent dans le lointain. C'est une côte plate et jaune, d'un jaune d'or. C'est le désert qui entre dans la mer. Elle glisse vers son avenir. Le silence s'est établi entre eux. Ce n'est pas un silence complice. Ce n'est pas un silence de compréhension et d'entente. C'est un silence-mur. C'est un silence qui les sépare, qui les partage, qui sème le doute en elle. Où sont les moments partagés en face de cette même mer où une vision de l'avenir la projetait contre lui, où leurs deux corps s'unissaient dans un but commun ?

Elle le regarde. Son profil est dur. Son regard se perd au loin. Elle lui prend la main pour essayer de mêler ses doigts aux siens, pour essayer de se réchauffer à son fleuve, à ses entrailles, au sang qui coule dans ses doigts, à son odeur, à sa chaleur, pour essayer de vaincre cette peur qu'elle sent sourdre en elle.

— Il faudra que tu te voiles lorsque nous arriverons dans le village. Une femme doit se voiler si elle veut se faire respecter. Il ne faut pas que tu te différencies des autres. Je serai appelé de par mon rôle de professeur à avoir de grandes responsabilités auprès des autorités de la ville avoisinante. Je ne voudrais pas que les gens jasent. Déjà, ramener une chrétienne fera scandale.

Elle se tait. Elle devrait parler mais elle se tait. Que pourrait-elle lui dire ? Mais elle devrait parler. C'est toutes les scènes de son enfance qui recommencent quand elle essayait de tenir tête à Père. C'est là qu'elle aurait dû vaincre, dans son enfance. Elle aurait dû tenir tête à Père, ne pas se laisser clouer dans sa chambre. Mourir plutôt que de se laisser crucifier. Mais que pouvait-elle faire et que peut-elle faire maintenant ? Elle ne veut pas mourir, pas maintenant, pas encore...

Femme agenouillée les mains en croix
les mains tendues vers le monde
enfermé dans son indifférence et sa torpeur
Femme pliée en deux
cassée, brisée par les chaînes de ses frères
Femme portant la souffrance du monde

O P... tous les P.
tout une fournaise qui brûle par la haine
tout un feu qui consume par la force
Feu qui anéantit la femme

102

qui la cloue, qui l'empêche de parler
qui la transforme en cendres

Et la femme prend les cendres et en fait des fleurs
Elle tisse un rideau de fibres d'amour et de tendresse
Qu'elle dresse entre elle et l'homme
Pour qu'il apprenne à faire la différence
Elle prend l'enfant qu'elle cache dans son sein
Loin de la face du serpent
Elle éloigne la bouche édentée du serpent de la tête de l'enfant
Et elle souffle dans son cœur la vie
Pour qu'il devienne un homme nouveau
Et là où la haine a frappé
Elle plante, elle plante et elle arrose
Elle arrose de ses larmes l'arbre nouveau

Refuser de porter le voile ? Et pourquoi ? Elle a envie de pénétrer ce monde du voile, ce monde des femmes derrière le voile, ce monde des êtres du silence, ce monde de l'attente, ce monde des paroles jamais dites, ce monde des regards qui interrogent, ce monde des bouches clouées, des enfants multipliés, ce monde de gestes qui se croisent sans jamais signifier, ce monde noir, ce monde du désespoir et de la souffrance, ce monde qui l'appelle parce qu'elle a été choisie pour le comprendre.

103

Elle retire sa main qui est devenue de glace. Son cœur bat si fort qu'elle a peur d'éclater. Le bateau est déjà tout près du quai. Une chaleur monte de la terre et les enveloppe. C'est une chaleur humide qui colle à la peau. Une foule se presse vers la sortie. Un moment, elle est prise de panique. Ne ferait-elle pas mieux de se jeter dans cette eau, d'être anéantie à tout jamais, de ne pas avoir à confronter cette vie qui l'attend là, dans la chaleur étouffante d'un jour qui ne sera jamais clair et frais, avec cet homme qui lui est devenu totalement étranger et qui représente un monde qu'elle a déjà fui ?... Mais l'eau du port est sale et huileuse, aussi trouble que cette nouvelle vie qu'elle pressent. Elle pense au monde des femmes qu'elle va découvrir. Il faut qu'elle triomphe pour elles. Qu'au moins l'une d'entre elles triomphe.

Le frère de P. est déjà là qui les attend. Il a le même sourire un peu moqueur qu'elle avait remarqué chez P. tout au début quand il l'attendait à la sortie de l'école. Il la dévisage avec insistance. Elle porte les mains à son visage. Ce sera différent quand une étoffe lourde mettra une séparation entre son visage et son regard. Elle, elle le verra comme elle le voit maintenant, mais lui ne verra d'elle qu'une étoffe brillante lui cachant les traits de celle qui le regarde. Il pressentira son regard, mais c'est tout. Il n'y aura plus d'échanges.

— Tout le village vous attend, dit-il. Je vous ai apporté des habits plus conformes à vos nouvelles fonctions.

Comme il dit cela. Quelle ironie dans la voix. Et comme il la dévisage, comme s'il la violait. Est-ce que P. remarque ? Il est bien trop occupé à retirer d'une valise les étoffes qui vont les transformer, les déguiser en homme et femme nouveaux, appelés à jouer un rôle nouveau, dans un pays vieux avec des coutumes ancestrales. Il lui tend un long voile épais, une sorte de cape qui enveloppe et cache et un masque noir violet bleuté. Le masque se partage en deux du front au menton par une barre transversale qui donne l'effet d'un second nez. De chaque côté il y a des fentes pour les yeux : les œillères. Le masque est retenu par quatre élastiques d'argent qui s'attachent deux au-dessus des oreilles et deux sous les oreilles, le tout se ficelle derrière la tête. Il y a aussi une petite voilette noire transparente, pailletée d'argent et d'or :

— Ceci est le signe que tu es jeune mariée, et que ton mari n'est pas pauvre, dit le frère en brandissant la voilette.

Il fait très chaud et E. se demande comment elle arrivera à supporter toutes ces enveloppes lourdes et noires. Mais déjà les deux frères la pressent : d'abord le masque, puis la voilette, puis le voile. Les étoffes et les élastiques lui serrent la tête et elle sent une migraine monter et lui battre les tem-

pes. Les fentes des yeux sont à peine assez larges
pour laisser passer une aiguille et sa vision est encadrée d'obscurité. Elle a peur de suffoquer, de
mourir asphyxiée. Ses bras, seuls nus et libres, se
tendent vers l'ouverture et vers le ciel dans un
geste de supplication et de révolte. Elle regarde le
frère, mais il ne la regarde plus.

La femme poussée derrière le voile
est forcée à l'intérieur d'elle-même
Elle frappe contre les parois de son cœur
et ses coups sont renvoyés contre le voile
Elle regarde à l'intérieur du voile
son passé, son présent et son futur
qui sont une même image
Elle ne peut même pas pleurer
car ses larmes invisibles
ne lui marquent que la peau
derrière le voile
Le regard de l'autre n'est jamais son reflet

La voiture roule sur une route poudreuse. C'est
le désert, du sable qui se déroule à l'infini. Elle s'est
enveloppée dans son voile et elle s'est tue, le
visage tourné contre la vitre, vers le paysage qui la
pénètre à travers la voiture, à travers le voile.
Elle n'appartient plus au monde des hommes. Subitement, elle a franchi le voile, elle a traversé la
cloison, elle est entrée dans le monde du silence,

106

dans le monde du mystère. Elle respire avec peine. Pourra-t-elle supporter ce monde de l'abnégation ? Elle a été écrasée. Dès l'enfance on l'a écrasée, on l'a étouffée. Pourtant elle a déjà frappé, elle a déjà crié, elle a déjà cassé, elle a déjà secoué le joug du Père. Mais celui-ci, en aura-t-elle la force ?

Devant, les deux hommes parlent. Elle ne comprend plus ce qu'ils disent. Déjà la séparation s'est faite, leurs mots n'ont plus de sens, le langage est devenu un véhicule, comme cette voiture, un instrument de convenances, un instrument de pouvoir, une machine à faire des sous, des violons qui grincent la discorde... Et ils parlent, ils parlent... Ils parlent travail, ils parlent argent, ils parlent autorité.

Derrière, elle n'est plus rien, un objet qu'on a abandonné, une montagne noire qu'on promène, qu'on doit ramener à la maison, qu'on doit pénétrer par les orifices les plus faciles, pour que la montagne fasse des petits, beaucoup de petits, entre la montagne et P. entre leur rêve et...

Le serpent siffle
La femme gratte le mur avec ses ongles, avec ses paumes
elle frappe et elle frappe
seul l'écho lui répond
Elle veut voir la mer, elle veut trouver l'issue
Le serpent est tout près de la tête de l'enfant

L'enfant pleure et la femme le soulève
et le cache dans son voile et sa robe déchirés
Ses mains et ses ongles sont en sang, ses pieds
meurtris
Le serpent siffle le long du mur
Et la femme a peur

La voiture pénètre dans le village. Une foule
de voisins, d'amis, de parents et d'enfants les attendent dans l'enceinte de leur nouvelle demeure.
L'enceinte est formée d'une cour rectangulaire entourée de maisons basses. Les maisons sont juxta-
posées les unes aux autres : maisons fermées, cour
entourée de murs, murs encerclés par d'autres
murs. Il y a beaucoup d'enfants qui les regardent
avec des yeux tout ronds. Elle est atteinte en plein
cœur par ces regards. Ce sont les mêmes regards
qui l'avaient traversée lors de sa visite au camp
palestinien : regard inquisiteur, regard neuf de l'enfance, regard de l'espoir, regards qui cherchent à
comprendre, regards qui transpercent.
Mais pour eux que peut-elle bien représenter ?
Une montagne noire qui se déplace, la nouvelle
arrivée, la chrétienne, l'étrangère ? Où sont les
rêves qu'ils avaient eu devant des mers et des cieux
infinis, lorsqu'il lui tenait la main en la caressant
et en lui parlant de tous ces enfants pour lesquels
ils construiraient un monde nouveau ? Quel message peut-elle bien leur apporter, femme transfor-

mée en forme, femme enfermée, femme enveloppée, femme-enveloppe, femme-cousue, femme arrêtée par le voile.

Elle regarde tous ces enfants et elle leur tend
les mains, geste de désespoir et d'angoisse, désir
d'atteindre, de comprendre et de transformer,
désir de pousser des branches, de sortir, d'éclore.
Mais personne ne voit son geste et personne ne
comprend son angoisse.

Elle entre dans une des pièces qui sera sa maison. Elle doit laisser ses chaussures à l'extérieur.
C'est une grande salle rectangulaire avec par terre
des tapis aux couleurs vives. Tout autour de la
salle, il y a un rebord pour s'asseoir, avec des
coussins brodés. Derrière, contre le mur, une étoffe
aux motifs géométriques et aux couleurs éclatantes
est épinglée. Dans le fond de la pièce se trouve le
grand lit recouvert d'un édredon violet aubergine.
A l'opposé du lit, il y a une armoire toute décorée
de motifs islamiques très délicats aux couleurs
douces bleues, roses et mauves. La salle est très
claire et plaisante. Par terre, il y a un grand pla-
teau recouvert d'une cloche de paille. Elle s'assied
par terre et remarque que ce n'est pas très propre.
Il y a des taches grasses et des miettes partout. Une
femme soulève la cloche de paille et lui offre des
fruits : mandarines, bananes et pommes. Un nuage
de mouches se précipite dessus.

Autour d'elle, les femmes s'affairent à préparer

le café et les pâtisseries. Une odeur de fleurs d'orangers, de safran et de gingembre se répand dans l'enceinte. Elle regarde les femmes qui la regardent, regards échangés derrière le voile. Elles sont toutes derrière un grand voile et elles se regardent toutes, de connivence et avec un mélange d'affection et de compréhension. Ces regards lui réchauffent le cœur. Depuis qu'elle a quitté la maison, elle n'a pas ressenti ce sentiment de bien-être. C'est comme les prières de Mère : la bonté et la générosité spontanées qui naissent de la souffrance et de l'oppression, d'un sentiment qu'il vaut mieux se serrer les coudes et essayer de vivre en harmonie face au monde des hommes, face à la séparation, face au voile.

La nuit du désert est descendue, une nuit lourde chargée d'étoiles, la nuit du voile et du silence. Les femmes sont rentrées dans leurs demeures et les enfants s'endorment. Elle l'attend avec appréhension. Que lui apportera cette nuit ? Saura-t-il franchir les différentes couches du voile qui les séparent ? Saura-t-il la faire parler et lui parler ? Sauront-ils se rencontrer ?

Elle l'attend dans le silence, un silence opaque et troublant, un silence d'éternité. Pourquoi la femme attend-elle toujours ? Pourquoi cette abnégation ? Pourquoi cette passivité ? Pourquoi cette servilité ? Peut-il y avoir une vérité dans un pareil échange ? Ses mains sont moites. Elle les badigeonne d'eau de fleurs d'orangers, douceur des fleurs, palper du parfum. C'est si frais et si bon. Elle enlève son voile, son masque. Elle se déshabille pour pouvoir s'humecter de cette fraîcheur et de cette douceur qui vivifient, qui calment ses nerfs exacerbés et tendus.

Elle mouille ses seins, son vagin, son ventre et sa nuque d'eau de fleurs d'orangers. Elle se frotte avec de l'huile d'ambre et de musc et se caresse lentement en cherchant à trouver et à comprendre chaque partie de son corps. Saura-t-elle lui raconter ses contours, ses creux, ses sinuosités, ses nervures, son corps ? Lui parlera-t-il du sien ?

Il est entré et la regarde étonné. Ses yeux s'allument de désir à la vue de son corps nu, brillant sous la lune. Il lui écrase la bouche avec passion :

— Que tu es belle ! Je veux des enfants de toi !

Il la triture, il la malaxe, il la pénètre. Il veut des enfants d'elle. Il veut que ses entrailles sécrètent la compréhension qu'il lui refuse. Il veut qu'elle s'entrouvre pour donner et non pour prendre, pour qu'elle produise, pour qu'elle serve, qu'elle soit utile, pour que son ventre ne soit pas stérile, ne soit pas maudit par une sécheresse, par le souffle du désert qui brûle tout, pour prouver à son entou-

111

rage qu'il sait bien faire la semence, que la graine est bonne et que Dieu bénit sa moisson.

Son être s'arque contre cet homme. Il faut qu'elle lutte. Il faut qu'elle lui fasse comprendre qu'il y a autre chose en elle que des enfants, qu'il y a une force créatrice qui cherche à s'échapper, qu'il y a tout un langage qu'elle aimerait lui dessiner, lui tisser, lui sculpter, pour qu'ensemble ils puissent reprendre les lignes une à une et bâtir le monde qu'ils avaient désiré, qu'elle pensait qu'ils avaient souhaité ensemble.

Elle s'arque contre lui. Elle lui enfonce les doigts dans la peau, mais il ne sent rien. Ses gestes l'excitent et le font jouir. Il est tendu dans sa jouissance. Il se regarde jouir. Elle est le miroir où il se regarde. Tout son corps se détend contre ses paumes, contre sa force, contre sa communication. Il s'endort dans les plis de son voile.

Les nuits suivent les jours et chaque nuit tout recommence : son attente, son angoisse, son désir brimé, arrêté, incompris. Chaque nuit ses entrailles sont déchirées et assoiffées. Chaque nuit elle s'arque contre un homme qui s'est déjà installé dans la gaine du couteau, un homme sûr de lui et de sa position sociale, un homme qui va réussir et qui peut avoir n'importe quelle femme. Il lui suffit de

112

lever le petit doigt pour avoir les femmes à ses pieds, pour en faire des servantes, pour en faire ces corps ronds qui l'attendront sagement la nuit, qui s'ouvriront pour lui permettre de jouir, pour lui permettre de détendre ses nerfs exacerbés par une journée de travail dans la ville.

Elle n'est pas dupe. Elle sait que sa loi lui permet de prendre d'autres femmes. Toutes les femmes qui l'entourent partagent un homme. Elles ne s'en plaignent pas. Elles sont installées dans la soumission et l'attente de la mort. De temps en temps, la naissance d'un enfant leur rappelle que leur sort n'est pas tout à fait inutile, que par elles la vie continue, qu'elles perpétuent le cercle des générations.

Les femmes commencent à chuchoter entre elles en regardant le ventre d'E. Son ventre est toujours très plat malgré les nuits laborieuses et P. s'inquiète. Il veut des enfants, beaucoup d'enfants. Un ventre plat, c'est mauvais signe. C'est signe que la semence ne prend pas et qu'il a mal fait les labours. C'est signe qu'un sort a peut-être été jeté et que ses désirs ne seront pas comblés.

Chaque nuit il redouble d'assiduité et E. souhaite cet enfant maintenant. Elle en rêve. Souvent la nuit, elle se réveille les mains moites et le cœur palpitant, croyant avoir tenu dans ses bras le doux corps d'un bébé aux cheveux soyeux, un enfant qui lui tétait le sein. C'est devenu un besoin intense, ce désir d'un enfant, un désir physique, et un désir qui sort du plus profond d'elle-même, qui sort de son passé opprimant et de son présent fermé de tous les côtés. Ce présent qui aurait dû réaliser ses rêves les plus chers. Je veux un enfant. Peut-être que lui, peut-être qu'elle arrivera à réaliser ce que j'aurais voulu accomplir, la grande tâche

qu'attendent-ils ?
Sinon que les anges viennent à eux,
ou que ton Seigneur vienne,
ou qu'un Signe de ton Seigneur vienne ?

Et son désir est exaucé. Son ventre réchauffé par son attente a tissé les fibres de sang et de tissu qui ont formé un terrain fertile, un terrain attendant la semence, une terre prête à faire pousser la vie, à faire naître l'espoir. Il y a eu une explosion là, dans son ventre, dans ses entrailles qui ont avalé avec avidité l'élu, la graine de choix, le seul qui fut acceptable, le seul parmi des centaines d'autres, le seul qui put vraiment s'unir, le seul qui put vraiment pénétrer, le seul à former le moment unique de cette création d'un être, le seul et l'unique à pouvoir former les éléments d'une vie nouvelle, la fragilité et la beauté de cet instant de transformation et d'éclosion.

Dehors, les femmes bougent dans l'enceinte.

114

Leurs voiles tremblent dans le vent. C'est le Kham-
sine, le vent du désert qui souffle depuis plusieurs
jours et qui soufflera en jours de trois, de cinq ou
de sept, entraînant du sable et du sable partout. Le
sable s'infiltre sous les voiles, dans les plis les plus
cachés et les femmes gémissent. Elles jettent des
seaux d'eau dans l'enceinte et les enfants se sont
arrêtés de jouer, immobilisés par la chaleur.

E. aussi souffre de la chaleur. Elle est étendue
sur son lit, la gorge sèche, les paupières lourdes
de sable. Elle demande à boire.

Dieu sait ce que porte chaque femelle et la durée
de gestation.
Toute chose est mesurée par lui.
Au-dedans d'elle, l'eau va jaillir
l'eau qui rendra le désert verdoyant
Nous envoyons les vents chargés de lourds nuages
Nous faisons descendre du ciel une eau dont nous
vous abreuvons et que vous n'êtes pas capables de
conserver.

Elle n'arrive pas à y croire. Tout en elle semble
desséché et elle gémit et se tord sur son lit. Les
femmes lui apportent de la limonade parfumée à
la fleur d'oranger. Elle essaie de manger, mais
rien ne passe que ces grains de sable et que ce
souffle chaud qui anéantit la vie.

Mais où est P. ? Elle ne le voit plus. Depuis

qu'elle est enceinte, il la néglige. On dit qu'il est en ville. On chuchote autour d'elle. Elle entend des bribes de phrases qui ne la surprennent pas mais qui lui font mal

Epousez, comme il vous plaira, deux, trois ou quatre femmes.
Mais si vous craignez de n'être pas équitables, prenez une seule femme ou vos captives de guerre.

Depuis qu'elle ne sert plus à assouvir ses ardeurs de la nuit, depuis qu'il a semé la graine et que la graine a pris et qu'elle est clouée sur son lit, malade de chaleur et de peur devant cette nouvelle vie qu'elle sent en elle, il la délaisse. Il va ailleurs maintenant. Ne devrait-elle pas en être soulagée ? Pourquoi cette peur ?

La période d'attente des femmes enceintes se terminera avec leur accouchement.
Dieu facilite les choses pour celui qui le craint.

Elle se sent terriblement seule dans cette chambre de Damas au lit violet. C'est pire que la chambre aux volets cloués à la porte fermée à double tour, car dehors il n'y a rien, il n'y a même plus l'espoir d'une promesse, il n'y a même plus la mer aux horizons infinis.
Et son ventre prend de l'ampleur et s'épanouit

116

comme les fleurs du désert qui s'ouvrent en un seul jour, grosses fleurs aux pétales colorés et brillants qui ne vivent qu'un seul jour. Elle regarde son ventre lisse et le frémissement de la peau lorsque l'enfant bouge. Elle boit beaucoup, elle boit tout le temps. Elle aimerait que l'eau la remplisse et la remplisse et crée en elle une vie nouvelle, une vie différente, un enfant qui saura crier ce qu'elle a dû taire. Il faut que lui, l'enfant, parle, qu'au moins lui, l'enfant, communique cette vision avortée parce que tue. On veut que j'accepte, que je me taise, que j'étouffe en moi la révolte, et bien je la crierai par l'enfant. Je lui communiquerai à lui ce souffle qu'on veut étouffer en moi. Et elle boit et elle mange des dattes. Que cette eau, que ces fruits tissent en elle une vraie vie, une vie qui criera la justice, la vérité et la liberté.

Et l'enfant quittera la tente pour le désert
Et l'enfant cherchera la route du fleuve
Et l'enfant allumera des fleurs de flamme
Et l'enfant donnera aux oiseaux des graines de soleil

Et le vent balaiera tout
Et la poussière s'élèvera aveuglant l'enfant, desséchant les fruits et les fleurs

Et l'enfant marchera dans le fleuve jusqu'à la mer
Il criera contre sa mère qui l'a enfanté

L'homme ne revient pas. L'homme reste dans la
ville qui nourrit ses aspirations, ses ambitions, son
orgueil, son narcissisme.
L'homme court aux affaires, à l'argent, aux femmes qu'il achète par son prestige et par sa force.

Femme, lève-toi de derrière ton voile
Femme refuse cette emprise sur toi
cette force qui t'annule
Femme, fais entendre ta voix qui n'est que l'ébauche d'un tremblement
Car, pour le moment, ta voix est comme le violon
des nuits du désert
Il faut qu'elle s'unisse aux autres voix des voiles
aux autres mains des matins
Et que toutes ces mains et toutes ces voix prennent
l'épée et la transforment en rose, en terre et en
jardin.

La maison de terre battue boit le soleil et ne le renvoie pas. Il fait chaud, une chaleur qui respire la peur et l'emprisonnement. Elle se tient dans la cour repliée sur elle-même. Les mouches se posent sur elle et elle n'a même pas la force de les chasser. Les mouches volent partout et se posent sur la bouche, sur les yeux des enfants : partout des mouches, de grosses mouches velues, des petites mouches aux pattes incessantes, des mouches bleues, des mouches rouges et des mouches noires, un tapis de mouches, un voile de mouches.

Dans la cour, les femmes s'affairent autour des fillettes qu'on prépare pour l'excision. Il y en a trois entre dix et douze ans qui se tiennent au centre, les yeux baissés, les mains repliées sur leur ventre. Elles sont habillées comme de jeunes mariées, les yeux soulignés de kohl, les mains et les pieds teints au henné, les visages blanchis à la poudre et les pommettes frottées de rouge, leurs robes pailletées et étincelantes de blanc et d'or. La sage-femme entre dans la cour suivie d'autres femmes et de la famille des jeunes victimes. Ses bras sont couverts de bracelets d'or, ses cheveux teints au henné luisent sous le fichu multicolore. Son front est tatoué et sa bouche édentée montre quelques dents en or.

Et les filles tremblent dans la cour. On les a souvent menacées d'excision lorsqu'elles étaient petites, quand on voulait leur faire peur, on leur disait : « Attention, si tu fais ceci, tu seras excisée ou si tu fais cela, on te prendra chez le docteur pour une piqûre ». Mais ce n'était que des menaces, maintenant elles sont là, devant une opération dont elles ne conçoivent que très vaguement la portée. Elles ont entendu d'autres voisines de leur âge qui hurlaient pendant des jours et des nuits, et elles savent que le sang va couler.

Le sang leur fait peur
Le sang du henné
Le sang des femmes
Le sang qui coule dans la terre
Le sang qui transforme la terre en jardins de peur
et de violence
Le sang du mouton égorgé
Les larmes de sang qui coulent dans la plaine
Les femmes qui se suivent une à une, inconscientes
DE L'EXCISION

inconscientes du couteau, inconscientes de l'étau
inconscientes de l'arrêt posé sur leur extase

Et les fillettes tremblent dans la cour. Et le
vent souffle dans l'enceinte, entraînant le sable,
apportant les mouches, des mouches qui se collent
aux yeux et aux bouches des enfants, des mouches
qui attendent le sang. Les femmes ont étendu la
natte. Elles apportent de l'eau dans des bols, de
l'encens qu'elles brûlent dans des pots de terre. La
sage-femme s'est accroupie. Elle sort ses instru-
ments d'un grand morceau d'étoffe rouge taché
d'auréoles huileuses : un couteau pointu, des lames
de rasoir, des pierres polies, de la poudre de henné
verte, des bouts de ficelle et des aiguilles.

Le couteau du sacrifice
La lame tranchante qui tue, qui sépare, qui arrache
les boutons du désir
les pétales de joie
l'ouverture de l'extase
fermé, cousu, scellé pour toujours
comme un grand voile de fer
comme un masque de rouille
comme un rideau de plomb

Et les femmes ont saisi la première fillette. Elles
la tiennent de tous les côtés. Elles lui soulèvent la
robe et la font s'asseoir sur un tabouret qui sur-

plombe un bol blanc. Elles lui écartent les jambes et exposent son sexe rasé qui luit sous le soleil. Le regard de la fillette est fixe comme sous l'effet d'un hypnotisme. La sage-femme écarte les grandes lèvres et les petites lèvres. Elle fait jaillir le clitoris apprêté par des mois de frottement à l'ortie. Et la femme-sorcière tranche le clitoris et le jette dans le bol. La fille hurle de douleur. Et le sang coule. Les femmes tiennent la fillette plus fermement. La sorcière continue son œuvre de mutilation. Elle découpe les grandes lèvres, comme de grandes oreilles rouges de peur, qui vont rejoindre le clitoris dans le bol. Le sang coule à flots maintenant et les cris de la fillette ressemblent à ceux d'un chien qu'on égorge. Les autres fillettes sont secouées de tremblements, mais leur visage est impassible. Elles ont été préparées pendant des mois. Elles savent qu'elles doivent passer par là pour devenir femmes, qu'elles ne pourront pas se marier si elles ne sont pas découpées et recousues, qu'elles ne doivent pas montrer qu'elles ont peur si elles veulent être considérées comme femmes et non plus comme enfants. Et la sorcière a terminé son massacre. Les petites lèvres ont été, elles aussi, tranchées et nivelées. Le sexe devrait être tout lisse et net, sans ambiguïté masculine, mais il n'est qu'une plaie béante, boursouflée et saignante. Et le sang coule sur les jambes et la robe de la fillette qui hurle. Et les femmes crient

122

et chantent en scandant un rythme. Et ces chants noient les cris de l'enfant. Les femmes chantent leur revanche.

Mutilées inconscientes
Les femmes crient dans la plaine
Les femmes chantent dans l'enceinte
En se souvenant du même couteau
du même bourreau, du même sang
Et l'enfant pleure la douleur
de l'oiseau mort à la croisée des routes

Et E. regarde la scène avec effroi. L'enfant a bougé dans son ventre. Elle pose ses mains sur son estomac et essaie d'arrêter cette vie qui déjà se manifeste en elle. Cette vie qui va crier en sortant et qui devrait proclamer un chemin nouveau. Mais elle a peur. Et si l'enfant était une fille ? Et si elle devait passer sous ce couteau qui mutile, qui asservit, qui étouffe. Et si cette vie devait être écrasée avant même d'avoir pu recevoir la rosée des matins et le parfum des nuits.

Les mouches se collent à elle. Elles volent des bols remplis de sang et de chair sacrifiée à ses mains, à son ventre, à sa tête. Leurs pattes gluantes de sang frais travaillent avec avidité sur l'enflure de son estomac. Elle est prise de dégoût. Elle se lève et, oscillant sur ses jambes, elle rentre dans sa chambre. Elle n'a que le temps de se pencher sur une écuelle et elle vomit tout ce qu'elle peut. Elle vomit le sang et elle vomit la peur. Elle vomit les chairs sacrifiées et elle vomit le dégoût de devoir être ce qu'elle est, cette femme pliée en deux et qui ne peut que s'agenouiller devant son Maître et Seigneur, devant le Père tout-puissant, devant tous les P. du monde.

Et la femme vomit son chagrin
Elle crache l'opprobre de son impuissance
Elle renvoie à la terre le sang qui la mutile
Elle crache sa douleur et son dégoût
Elle fait jaillir de ses entrailles son amertume
Et la bile monte, monte et l'aveugle. L'aigreur du poison qui la remplit jaillit et se déverse sur le sol qui absorbe. Elle s'agenouille sur le tapis, prostrée en deux. Elle tient son ventre qui ne s'est pas vidé. Elle se calme très lentement.

Dehors les fillettes continuent de hurler. Les femmes chantent et scandent des rythmes pour noyer les hurlements de ces jeunes femmes à qui on vient de couper la vie, à qui on vient de trancher le frémissement de la joie, l'échange du regard amoureux, l'appel du partage désiré, la voix du voulu, le don et la demande exprimés sans peur et sans pudeur, l'ivresse de l'extase à deux dans l'accomplissement de gestes différents qui s'harmonisent pour un chant commun
pour une lumière commune

124

pour une victoire nourrie dans l'amour
pour une liberté tissée de tendresse
pour une égalité respectant les différences de
l'autre.

Et E. recommence à vomir. Elle se bouche les oreilles pour ne plus entendre ces hurlements qui résonnent au fond d'elle-même et qui la blessent dans toutes ses fibres intérieures, qui mutilent en elle la douceur, la bonté, la persévérance, la droiture et l'amour, les qualités qu'elle essaie de cultiver malgré la haine qui fait rage autour d'elle. Elle presse ses mains contre ses oreilles et elle crache dans l'écuelle et elle crie, elle aussi, en crachant.
Elle crie contre les coutumes qui transforment pour réduire
Elle crie contre les femmes qui mutilent leurs filles
Elle crie contre les hommes qui réclament la vierge
contre les hommes qui veulent une circoncie
contre les hommes qui demandent un vagin cousu et boursouflé de sang

Et elle pleure son impuissance. Elle pleure sa faiblesse devant cette violence et ce carnage qu'elle ne peut arrêter. Elle pleure de ne pas pouvoir utiliser ces larmes pour sauver son enfant, pour sauver toutes ces filles et tous ces enfants qu'on prépare à la vie dans le sang. Comment révolutionner un monde qui perpétue la violence et la guerre sous prétexte de révolution ? Comment arrêter cette mutilation avant qu'elle n'en engendre d'autres ?

Prendre mes larmes pour laver le sang
Prendre mes mains pour arrêter le couteau
Prendre ma voix pour faire entendre un chant nouveau au-dessus des cris
Prendre l'oiseau et lui donner l'espace d'un ciel harmonisé et bleu
Prendre l'arbre et le planter dans le désert près de l'oiseau

Une odeur d'encens lui parvient. Les fillettes semblent un peu calmées. En titubant elle franchit la porte et contemple le spectacle. Les fillettes sont couchées à terre dans des mares de sang. De chaque côté il y a des pots de terre qui dégagent une fumée. C'est un encens très fort, mélange d'aloès, de benjoin et de santal, qui brûle. La sorcière est accroupie, appliquant du jaune d'œuf et du henné vert sur les blessures qui continuent de saigner. Une procession se forme. Les mères tiennent des bols contenant le clitoris et les lèvres vaginales de leurs filles. Elles chantent et scandent un rythme : apportez-leur un mari maintenant... Elles sont prêtes. Qu'on leur donne un pénis maintenant, elles sont femmes.

Lorsque la terre sera violemment secouée
lorsque les montagnes seront mises en marche
et qu'elles seront une poussière disséminée

...

dans les Jardins du délice :
il y en aura une multitude parmi les premiers
et un petit nombre parmi les derniers arrivés,
placés côte à côte sur des lits de repos
ils seront accoudés, se faisant vis-à-vis

...

Il y aura là des Houris aux grands yeux
semblables à la perle cachée
en récompense de leurs œuvres

...

C'est nous, en vérité, qui avons créé les Houris
d'une façon parfaite.
Nous les avons faites vierges,
aimantes et d'égale jeunesse
pour les compagnons de la droite

Et la procession s'éloigne en chantant, en direction du fleuve. E. hésite. Elle titube, elle a peur de ne pas pouvoir aller jusqu'au bout. Elle regarde les fillettes qui semblent à demi mortes étendues sur des nattes et baignant dans leur sang. Il faut qu'elle comprenne. Il faut qu'elle suive la procession et aille jusqu'au bout et voie. Elle porte les mains à son ventre. Elle se sent lourde et seule. Une fillette a entrouvert les yeux et la regarde.

Ce regard la transperce. Elle a vu ce regard ailleurs. Elle reconnaît cette tristesse et ces questions, cette angoisse et cette souffrance... La jeune femme du bateau... La jeune égyptienne qui lui avait décrit la scène pour disparaître ensuite. Elle la retrouve ici. Elle s'approche de la fillette et lui sourit. Mais cette dernière a déjà refermé les yeux dans un rictus de douleur. E. regarde la vulve béante qui saigne malgré l'application du henné. Elle a peur de se trouver mal à nouveau. Elle court et court loin du spectacle, loin de cette fillette, oiseau égorgé qui lui rappelle l'autre femme mutilée de son passé. Elle court dans le sable et tombe plusieurs fois, pliée sur les genoux, se relevant pour repartir, hoquetant de toutes ces douleurs qu'elle fuit.

Elle rejoint la procession. Les femmes sont au bord du fleuve. Elles tiennent les bols au-dessus de leurs têtes et récitent le Coran en se penchant à droite et à gauche. Leurs robes de fête multicolores et pailletées d'argent et d'or et tous leurs bijoux en or brillent au soleil. Leurs grands voiles noirs se gonflent dans le vent et dans leurs chants.

O Prophète !
Lorsque les croyantes viennent à toi
en te prêtant serment d'allégeance
et en jurant
qu'elles n'associeront rien à Dieu,

qu'elles ne voleront pas,
qu'elles ne se livreront pas à l'adultère,
qu'elles ne tueront pas leurs propres enfants,
qu'elles ne commettront aucune infâmie
ni avec leurs mains, ni avec leurs pieds,
qu'elles ne désobéiront pas en ce qui est convenable
reçois alors leur serment d'allégeance.
Demande pardon à Dieu pour elles.
— Dieu est celui qui pardonne, il est miséricordieux —

Et les mères jettent le contenu des bols dans le fleuve. Un moment l'eau prend une teinte rougeâtre, mais le tout disparaît sous le reflet vert du fleuve.

E. regarde son image qui se reflète dans l'eau, miroir de son passé, vision de son futur. Elle frissonne devant l'aspect de cette femme au ventre enflé, aux grands yeux noirs et tristes, aux mains qui s'étendent vers l'horizon dans une attitude de défi et de prière. Toute sa silhouette se fond dans l'eau verte et profonde.

Les femmes sont reparties et elle les suit de loin. Elle se sent très lasse et faible. La nuit tombe. Le désert a pris une teinte violette et bleue. Les dunes de sable projettent de grandes ombres sinistres et froides. L'enceinte aussi est froide et sombre. La cour est remplie de femmes. D'un côté, il y en a qui ligotent les jambes des fillettes qui ressemblent à des cadavres, momies bien ficelées, et de l'autre, elles déroulent des nattes et des tapis. D'autres femmes arrivent avec des offrandes de dattes, de parfum et d'encens.

Les cafetières et les théières sifflent sur le charbon. Deux des fillettes se sont remises à crier. Combien de temps faudra-t-il supporter cette souffrance ? En aura-t-elle la force ? Elle tombe dans un coin de la cour. Une femme lui apporte du thé qu'elle arrose à l'eau de fleurs d'oranger. D'habitude elle aime cette odeur et les autres breuvages tels que le café à la saveur très particulière de cardamome. Mais ce jour-là, une nausée insurmontable s'est installée et ne la quitte plus. Elle se traîne en rampant jusqu'à sa chambre, avale un somnifère, se bouche les oreilles de coton pour ne plus entendre les cris.

Le petit enfant se réveille d'un long sommeil
Il court dans le sable
Il court sur la route du fleuve
Il s'approche des grandes plantes acidulées
Il regarde les rochers pigmentés
Le fleuve le regarde
Et l'enfant s'en approche émerveillé
Il ouvre tout grand ses bras vers le rivage
Il appelle, il appelle de toutes ses forces
Une barque se dessine à l'horizon
Au fond de la barque il y a une boîte

130

Et l'enfant crie en agitant les bras
La barque avance sur l'eau
L'enfant marche sur le fleuve
En direction de la barque
En direction de la mer
Et le dragon l'aperçoit du fond du fleuve
Et le dragon irrité contre la femme et l'enfant
remonte de toutes ses forces à la surface de l'eau
Et d'un jet de sa bouche il avale l'enfant
Et le dragon repu et apaisé se dirige vers la mer
Il va s'asseoir sur les plages dorées en balançant
sa queue long serpent aux écailles qui miroitent
au soleil

Le lendemain E. se réveille très faible, avec
dans la bouche, un goût amer et acide. Elle pose
les mains sur son ventre. L'enfant a bougé. Elle
essaie de se lever, mais elle retombe sans forces
sur la natte. Où est-il, lui qui devait l'aider ? Lui
qui devait la porter et la faire avancer dans des
moments tels que ceux-ci où ses jambes refusent
de la soutenir ? Elle regarde par la porte entrou-
verte le soleil qui se déverse à flots. Il ne reviendra
pas. Il ne reviendra pas avant que l'enfant ne soit
né. Et bien l'enfant ne naîtra pas. Et peut-être qu'il
ne reviendra plus jamais.

Créer un homme nouveau
Un homme capable de tendresse non calculée
Un homme dont le savoir ne s'érigera plus sur
des forces de destruction et de pouvoir
mais sur des forces d'amour et de générosité
Le tisser lentement et silencieusement
avec beaucoup de patience et de volonté de triompher de sa violence destructrice
Pour que le meilleur parle en lui

Un homme arbre, un homme racine
Un homme cèdre, un homme branche
Un homme nid, un homme oiseau
Un homme des mondes retrouvés

Liban recréé par l'homme nouveau
Liban étendant ses branches millénaires
nouvelles et nourrissant le monde
Liban des sèves et des fruits
Liban des nuits étoilées retrouvées
Liban des montagnes reboisées
Liban des voix rauques purifiées
Liban de l'enfant ressuscité
Liban arbre, Liban enfant
Liban des graines et des jardins

Elle se traîne dans la cour qui est vide. Il n'y a
que du soleil, du soleil partout, du soleil sur la
pierre et du soleil sur le sable. Des mouches bour-

donnent ici et là sur ce qui reste des traces de sang. Elles se précipitent sur elle, sur sa robe et son voile souillés de la veille. E. porte les mains à son front. Elle n'arrive pas à respirer sous le voile, sous le masque. Une fillette non encore circoncie s'approche d'elle et lui sourit. Elle tient dans ses mains des dattes qu'elle lui offre. Les dattes sont couvertes de mouches. E. refuse. Elle caresse la tête de la fillette qui la regarde avec de grands yeux interrogateurs. Elle lui prend la main et s'approche d'une des portes qui donnent sur l'enceinte. La chambre qu'elle aperçoit est accueillante avec de l'ombre et de la fraîcheur. A l'intérieur se trouve une des fillettes circoncies étendue sur une natte, les jambes ligotées. Elle gémit, sa bouche est un rictus de douleur. Ses mains teintes au henné se balancent nerveusement au-dessus de sa tête. Elle respire et gémit par saccades. E. s'approche d'elle et lui frotte la tête et les mains comme pour lui donner du courage. C'est la fillette qui l'avait regardée la veille. Elle a ce regard triste et résigné, avec de temps en temps une lueur de révolte vite abandonnée, le rictus de sa bouche accentué.

E. s'assied par terre avec les femmes qui boivent du café et mangent des dattes. Pour elles, tout semble normal. Les fillettes excisées, le fleuve apaisé par l'offrande de sexes mutilés, le sang qui a coulé dans l'enceinte, et le sang qui coule encore, les cicatrices qui vont se souder l'une contre l'autre pour fermer le sexe de la femme qui sera ouvert brutalement deux fois la nuit de noces, avec un couteau, lui a-t-on dit. Mais ces femmes acceptent-elles vraiment ces coutumes ? Car elles souffrent, la souffrance se lit dans leurs yeux, surtout dans ceux des plus jeunes. E. s'approche de l'une d'entre elles pour lui parler, pour essayer de comprendre, pour essayer de soulever le voile.

— Tu étais là hier au moment de l'Excision ?

— Oui, je t'ai vue, tu sortais et entrais dans ta chambre. Est-ce que tu te sentais mal ?

— Oui, je ne supporte pas le sang et je ne comprends pas cette opération. Pourquoi ? Pourquoi couper ces fillettes ?

— C'est la tradition. Les hommes ne l'épouseraient pas. Elle ne serait pas acceptée si elle n'était pas excisée. Il ne faut pas y penser. Ne sois pas triste.

La jeune femme la regarde avec commisération. Ses yeux reflètent de l'étonnement mêlé à une tristesse insupportable. Ici pas la moindre trace de révolte comme chez l'Egyptienne du bateau.

Une des femmes plus âgées de l'assemblée et qui a entendu la conversation s'approche d'elles. Elle fait le geste obscène de trancher le clitoris, et rit d'un rire sadique :

— Il le faut ma petite, il le faut. Dieu l'a prescrit. Il faut être pure. La circoncision c'est la

purification. Et elle lève les bras au ciel vers Allah
en ajoutant :
— Toute notre vie, nous, femmes, n'est que
souffrance. Dieu l'a prescrit.

Khatin, Tahara
Coupez, mais ne coupez pas trop
Coupez, coupez, coupez
mais
pas
trop
Puis refermez et que Dieu soude bien le tout
Puis recoupez et resoudez et recoupez
Allah le veut
Excisée
Une fois
Deux fois
Trois fois
Khatin, Tahara, Khatin

Les coups pleuvent. Comme dans son enfance,
les coups pleuvent. Elle s'est déjà révoltée. Elle a
déjà crié. Elle s'est déjà enfuie, pensant résoudre
les problèmes de son enfance, croyant qu'elle allait
vers quelque chose de meilleur, vers un but, avec
un homme différent. Remplie d'espérance, elle a

traversé la mer, le désert. Elle a trouvé le désert. Elle a trouvé le fleuve, le pays des dattes et des palmiers. Mais lui, que cherche-t-il ? Et où est-il ? Où est la boîte qu'ils devaient trouver ensemble ? Le temps passe, la vie se referme sur elle. Il n'y a plus d'horizon possible. Rien qu'une barre, là, au creux de son estomac, une barre qui l'empêche de respirer. Faut-il se révolter contre Dieu pour briser ces chaînes que les femmes attribuent à Dieu ? Faut-il se révolter contre l'Homme, contre le Père et contre tous les Pères qui appliquent les préceptes du Père Tout-Puissant ? Ou faut-il au contraire aller vers eux, aller vers Lui, essayer de Le comprendre Lui, et voir si ce n'est pas l'homme qui a travesti Son Image ? Elle s'est déjà révoltée une fois. Elle a déjà traversé les mers une fois. Que faut-il faire maintenant ? Faut-il continuer de se révolter indéfiniment ? Et comment se révolter maintenant ? Où se tourner ? Que faire ? Et à quoi sert sa révolte si toutes les femmes ne se révoltent pas avec elle ? Le cas de la jeune égyptienne du bateau lui revient à l'esprit. Cas isolé ? Combien d'autres y en a-t-il ? Comment prendre toutes ces femmes et en faire une chaîne solide qui rompra toutes les autres chaînes ? Et les frères armés de poignards qui suivent pour les égorger ? Et toute la société derrière qui pousse les frères à tuer leurs sœurs pour venger l'honneur à tout prix ? Elle est lasse de ses pensées. Quand il

136

reviendra, si il revient, ne devrait-elle pas lui parler, à lui ?

La vieille femme de l'assemblée s'approche d'elle et lui soulève la robe :

— Es-tu Excisée, toi l'Etrangère ? Comment cela se fait-il chez vous ? Pries-tu Dieu de la même façon que nous ?

La vieille a les mains osseuses teintes au henné rouge-brun. E. a un soulèvement de cœur et de révolte. Elle arrache sa robe des mains de la vieille. Elle regarde l'assemblée. Toutes les femmes sourient derrière leurs masques. Elles s'approchent toutes d'elle avec leurs mains tendues pour soulever sa robe et pour voir. E. est prise de panique. Elle regarde les femmes avec effroi, mer en furie, houle prête à la submerger, à la noyer, à effacer la différence. Elle recule vers la porte, le cœur battant à tout rompre, les mains moites, le visage crispé sous le masque qui l'étouffe. Elle n'a que le temps de se précipiter dehors et de s'enfuir. Elle court vers sa chambre, ferme la porte et appuie une chaise et une table pour l'empêcher de s'ouvrir. Son cœur bat très fort. Comment se protéger, comment se défendre contre ces femmes qui semblent assoiffées de sang et de sexes ensanglantés ? Elle a peur. Que faire ? Où aller ? Vont-elles essayer d'entrer et de la ligoter elle aussi ? Pourquoi cette rage contre la différence ? Tout son ventre lui fait mal. Toute sa chair crie.

Elle regarde autour d'elle. Comment s'évader ? Par où fuir ? Il y a bien la fenêtre du fond. Mais pourra-t-elle l'escalader et ensuite grimper le mur qui forme l'enceinte ? Elle vacille sur ses jambes. Aura-t-elle assez de force pour partir ? Et où aller ?

Suivre la route du fleuve
Retrouver la mer
Grimper les dunes et les montagnes
Conduire le petit enfant vers la barque
Lui donner la possibilité d'une autre vie
Lui montrer l'horizon éclairé par le soleil
Et prendre le sang du fleuve
Et prendre les cadavres de la mer
Planter le désert et l'arroser
Jusqu'à ce qu'une femme nouvelle
Un homme nouveau poussent des racines, des branches et des feuilles
Qui transformeront le monde

Dehors les femmes se sont calmées. On n'entend que le hoquet d'une circoncie de la veille. La nuit tombe, comme elle tombe rapidement sur le désert qui se rafraîchit subitement. Soudain on frappe à sa porte.

— Qui est-ce ? demande-t-elle.

— Ouvre, ouvre, crie P. Qu'as-tu à te barricader maintenant ?

Elle s'approche tremblante et ouvre à moitié. Il pousse la porte brutalement. Il est là devant elle et elle ne le reconnaît presque pas tellement il a changé. Il a beaucoup grossi et ses traits ont épaissi. Il a pris les manières d'un homme qui se croit important.

— Pourquoi t'enfermes-tu ?

Il faut qu'elle lui parle. Il faut qu'elle lui crie ses désillusions et ses peurs. Il faut qu'elle essaie de lui expliquer.

— Ecoute, je n'en peux plus. Je ne te reconnais pas. Où est notre rêve ? Où est tout ce qu'on voulait réaliser ensemble lorsque, bouche contre bouche, dans le sable de mon pays, étendus sur une plage, tu m'avais promis que nous allions construire un monde différent toi et moi ?

— Et que veux-tu que je fasse ? Que je m'affiche avec toi comme les hommes occidentaux ? Ta place est ici parmi les femmes. C'est là que tu dois travailler. Moi je travaille au dehors avec les hommes, dans la ville. C'est là que j'essaie d'améliorer la condition de mon peuple.

— Mais tu ne vois pas ce que tu es devenu ? Regarde-toi un peu. Et sais-tu ce que les femmes de ce pays font aux autres femmes ? Elles les mutilent, elles les coupent. Elles leur arrachent les membres sexuels les plus délicats, les plus précieux, les plus importants. Il ricane :

— C'est la tradition. Tu n'aurais pas dû venir ici si tu étais aussi douillette.

— La tradition, la tradition. Mais n'étions-nous pas venus ici pour changer les traditions, pour que la femme s'élève côte à côte avec l'homme. Ne devions-nous pas montrer une autre image du couple ?

— Le couple, c'est une notion occidentale. Elle n'a pas de place dans le monde arabe. Quand comprendras-tu que le monde arabe c'est l'Islam et l'Islam le monde arabe ?

— Non, non et non. Je suis Chrétienne et Arabe, Arabe et Chrétienne. Je suis aussi une femme, surtout une femme et je veux vivre. Et je veux que toi et moi soyons différents, que nous donnions l'exemple. Ecoute-moi, écoute-moi bien. Ne veux-tu pas que nous retrouvions toi et moi la boîte magique de ton enfance ?

Elle s'est approchée de lui avec tout ce que son corps, son regard, ses mains, sa peau peuvent lui communiquer de tendresse et de désir de communication. Il la regarde un moment l'œil fixe, l'attitude hargneuse. A l'évocation de la boîte, il a tressailli, son regard s'est ouvert comme dans le passé. Un moment, elle pense avoir touché la corde sensible, la corde qui va leur permettre de recommencer, de se retrouver, de changer les choses. Elle se rapproche encore plus de lui et lui pose les mains sur ses épaules. Elle lui frotte le

140

dos doucement, comme pour le calmer, comme pour le bercer, comme pour l'attendrir et le faire redevenir ce qu'il était avant lorsque, en face de sa classe d'enfants palestiniens, il avait raconté l'histoire qui avait allumé des flammes d'espoir dans les yeux des enfants, et lorsque son regard de passion avait allumé l'amour dans son cœur. Mais ses muscles se tendent sous ses doigts et son corps est comme un paquet de nœuds de fer. Son front se plisse et se creuse. La sueur apparaît sur ses tempes et glisse le long de ses joues enflées et rouges. Son haleine est lourde et chargée d'alcool et les paroles qu'il lui lance au visage la frappent et la font reculer dans un des coins de la chambre où elle se sent sombrer dans un nouveau désespoir. Il ricane :

— La boîte de mon enfance... Comment as-tu pu croire cette histoire ? Tu es vraiment naïve. Quand comprendras-tu que le monde ne se crée pas avec des rêves et avec des illusions, mais avec des faits, avec des chiffres et avec de l'argent.

— Non, non, tu as tort. Les mondes les plus beaux, les meilleurs et les plus vrais se créent grâce aux rêves et grâce aux visions. Je refuse tes théories et je refuse ta façon de m'emprisonner. Si tu ne me redonnes pas ma liberté, je la prendrai. Tu ne me reverras plus jamais.

Elle lui tient tête comme elle aurait dû le faire depuis longtemps, comme elle aurait dû le faire dans son enfance avec Père. C'est là qu'elle aurait dû s'affirmer. Mais il n'est pas trop tard. Il faut qu'elle prenne la victoire maintenant. Il faut qu'elle se lève et montre qu'elle existe maintenant. Il faut qu'elle fasse entendre sa voix pour les femmes qui l'entourent et pour toutes les femmes du monde qui attendent, qui entendront peut-être et qui suivront peut-être et qui bougeront et se lèveront peut-être.

Mais elle est allée trop loin. P. la regarde avec haine et rancune, sûr de sa force et de sa toute-puissance, sûr de son pouvoir et de ses valeurs. Il brandit une chaise contre elle et avance avec rage dans sa direction. Son cœur fait un bond. Va-t-il la tuer ? N'aura-t-elle plus rien à craindre dans quelques instants ? Ecrasée et anéantie, aura-t-elle franchi le mur de la mort, aura-t-elle fini avec toute sa souffrance et tout son désespoir, avec toutes ses luttes et toute sa révolte ?

Mais il laisse retomber la chaise. Ses yeux injectés de sang se voilent. Il ricane à nouveau et tombe sur le lit comme une masse. Elle regarde cet homme qu'elle a suivi pensant qu'avec lui ils pourraient ensemble marcher vers la lumière.

Masse informe d'élastiques enchevêtrés
L'homme a brandi son poignard
il aiguise ses couteaux dans les lumières de la ville
il fait briller la lame des matins

142

Il marche sur les fleurs à peine entrouvertes des
déserts muets
Il s'imagine qu'il a compris la femme du voile
parce qu'il l'a mise dans l'enceinte
parce qu'il a fermé les portes
parce qu'il a muré les jardins
Et lorsqu'une femme s'élève
il la frappe
et lorsqu'une femme parle
il lui cloue la bouche
et lorsqu'une femme le regarde
il s'enfuit
et la ville se referme sur lui

Quand vous demandez quelque objet
aux épouses du Prophète,
faites-le derrière un voile.
Cela est plus pur pour vos cœurs et pour leurs
cœurs.
...
O Prophète !
Dis à tes épouses, à tes filles
et aux femmes des croyants
de se couvrir de leurs voiles :
C'est pour elles le meilleur moyen
de se faire connaître
et de ne pas être offensées.
— Dieu est celui qui pardonne,
il est miséricordieux —

E. s'est affaissée dans un coin. Elle pleure, d'abord doucement puis de plus en plus fort. Elle pleure son impuissance et sa faiblesse, son incapacité à lui communiquer ce que tout son corps, toute sa chair, toute sa tendresse, tout son amour voudraient arriver à lui faire vivre. Soudain, elle sent une main posée sur sa tête. C'est la petite fille du matin, la petite fille qui lui avait offert des dattes couvertes de mouches. Elle la regarde à travers ses larmes. C'est la petite fille de l'espoir qui la regarde avec tendresse et dont les yeux lui communiquent la douceur et la fraîcheur de l'enfance.

— Il faut que je parte, lui dit-elle. Veux-tu venir avec moi ?

— Où vas-tu ? dit la petite fille.

— Vers le fleuve, vers la mer.

La petite fille lui sourit et acquiesce d'un mouvement de la tête :

— Je reviens tout de suite, lui dit-elle avec exubérance.

E. rassemble rapidement quelques objets dans un grand foulard rouge : ses bijoux en or, des bracelets, des boucles d'oreilles en forme de branches, une broche en forme d'oiseau, des pendentifs, des colliers et des bagues ; quelques livres parmi ses plus précieux, *Le sixième jour, Retour au pays, Le soleil et la terre, Les damnés, La statue, Arabies, Nefertiti et le rêve, La troisième voix, Chant*

144

perdu, Le sommeil délivré, ses papiers et un carnet d'adresses.

La petite fille revient, elle aussi chargée d'un panier rempli de dattes et de bananes. Dans un coin du panier, il y a une boîte de métal :

— C'est du halawa, dit-elle en indiquant la boîte.

E. lui sourit, heureuse de cette idée.

— Viens, dit-elle. Il faut que nous partions avant que l'aube ne se lève.

Elle prend la main de la petite fille. Elle regarde P. qui dort et ronfle la bouche ouverte.

— Viens, dit-elle. Partons.

Elles traversent l'enceinte qui est déserte et sombre. Il n'y a plus de mouches. De temps en temps un moustique s'approche d'elles et siffle. La petite fille lui serre la main avec confiance. Au loin, un coq chante. L'aube est proche. La nuit du désert est fraîche. En silence et à pas feutrés, elles traversent la cour. Elles ouvrent la porte de l'enceinte qui heureusement n'est pas fermée. Pourvu que celle du mur qui entoure l'enceinte et les maisons soit aussi ouverte. Le cœur d'E. bat très fort. La porte a légèrement grincé et E. regarde de tous les côtés, mais la cour est sombre et muette. Les arbres frémissent dans le vent. La seconde porte est verrouillée. Elle est en fer forgé de motifs islamiques.

145

— Il faut que nous grimpions, dit-elle à la petite fille. Monte, toi d'abord.

La petite fille est très agile. Elle a posé son panier au pied du mur et elle grimpe comme un jeune singe. Un serpent est sorti de son trou et s'approche du panier. E. frissonne. L'aube se lève et le coq chante pour la seconde fois. Il faut se presser. Les femmes vont commencer à sortir. Le serpent se faufile le long du mur et se promène dans l'enceinte. E. tend le panier et le foulard rempli à la petite fille qui est maintenant à califourchon au haut du mur. Elle commence elle aussi à grimper grâce aux motifs islamiques qui lui servent de marche-pieds. Mais elle n'a pas la jeunesse et la force de la petite fille et sa longue robe et son long voile la gênent. L'enfant qu'elle porte dans son sein est lourd et elle a peur de trébucher. Nous y arriverons, se dit-elle. Nous y arriverons. Il faut que nous atteignions le fleuve. Il faut que la petite fille voie la mer. Elle s'accroche aux motifs et se hisse avec lenteur le long de la porte. La petite fille lui sourit et lui tend la main. Maintenant elle est aussi au haut du mur et elle regarde avec la petite fille le serpent qui boit l'eau du bassin au milieu de l'enceinte. Le coq chante pour la troisième fois et l'on entend du bruit dans quelques-unes des maisons.

— Il faut se hâter dit-elle à la petite fille. Descends lentement et je te tendrai le panier et le foulard.

— Non, toi d'abord, dit la petite fille.

Elle voit qu'E. arrive à peine à se tenir en équilibre au haut du mur.

— Toi d'abord, descends lentement. Ce n'est pas difficile, il y a du sable en bas, même si tu tombes, tu ne te feras pas mal. Moi je garde les affaires. Va.

C'est elle qui commande. C'est la petite fille qui a pris les choses en main comme si elle sentait que grâce à elle, grâce à sa détermination et grâce à son courage E. arriverait jusqu'au bout.

C'est la petite fille de l'espoir
qui sourit et qui communique la force et la tendresse
La petite fille des dattes et du halawa
loin des fusils et des engins de mort
La petite fille du désert et des cactus
C'est le soleil, c'est la lumière
La petite fille de l'arbre qui fleurit
et de l'oiseau qui chante

E. se glisse lentement le long de la porte. Sa robe et son voile sont d'une étoffe légère qui s'accroche aux motifs islamiques. Elle a peur qu'ils ne se déchirent et elle descend avec beaucoup de précaution. Ses mains sont meurtries et violettes, son visage tendu par la peur. La petite fille l'encourage :

— Tu es presqu'en bas. Laisse-toi tomber maintenant. Il y a du sable. Tu ne te feras pas mal.

Elle tombe affalée dans le sable. Sa robe et son voile sont déchirés à plusieurs endroits. Elle regarde en haut. La petite fille lui tend le panier et le foulard. Elle n'a que le temps de les attraper. La petite fille est déjà en bas.

— Il faut faire vite, dit-elle. Il faut courir. Je crois qu'une femme m'a vue.

Elles se tiennent par la main et elles courent, elles courent dans le sable, à travers les dunes, dans le sable encore frais de la fraîcheur de la nuit, dans le sable encore humide de la rosée du matin. La petite fille semble connaître la route du fleuve. C'est elle qui conduit. C'est elle qui dirige et qui montre où aller. Un instinct la pousse dans la direction du soleil, dans la direction du fleuve. Et E. se laisse guider. A l'horizon, le ciel est rouge. Le matin commence à se lever et avec lui la chaleur sort des pierres et des buissons. Du fond de la terre, une brume moite monte, monte et coule. E. se sent lourde et essoufflée. Elle suit avec peine la petite fille qui saute comme une gazelle.

— Nous arrivons, dit-elle. Je vois le fleuve. Je vois le soleil.

— Comment t'appelles-tu ? dit E. Tu ne m'as pas dit ton nom.

— Je m'appelle Nour, dit la petite fille.

— Nour, ma lumière, mon soleil, tu es ma vie, dit E. en prenant la petite fille dans ses bras et en s'arrêtant au bord d'une dune.

— Viens arrêtons-nous un moment et mangeons quelques dattes. Il nous faut prendre des forces. Une longue journée nous attend.

Elles sont assises dans le sable. Nour ouvre la boîte de fer :

— C'est du halawa de l'excision, dit-elle. Ma sœur a reçu plusieurs boîtes comme celle-ci. Maman les avait cachées, mais moi, je savais où elles étaient.

— Tiens, dit-elle, et elle lui tend un morceau croustillant au goût de miel et de fleurs d'orangers, douceur qui fond contre le palais.

— Quelle bonne idée tu as eue lui dit E. C'est l'aliment du ciel.

— C'est aussi l'aliment des oiseaux, dit Nour. Regarde ! Et elle tend sa main où il reste quelques miettes. Un paradisier rouge est venu picorer ce qu'il restait du morceau de halawa.

— Il ne m'a pas piqué les mains. Regarde. Il a seulement pris les miettes. Et Nour lèche ses mains encore toutes collantes de sucre et d'huile de sésame.

— Il faut que nous trouvions une barque qui nous emmène jusqu'à la ville, dit E. Une barque qui nous conduise jusqu'au plus grand bateau qui t'emmènera jusqu'à la mer, à travers la mer.

— Et toi ? dit Nour.

— Moi, j'irai avec toi jusqu'à la mer, jusqu'à ce que tu sois en sécurité dans le grand bateau qui te conduira dans le pays où je te dirai où aller. Mais je dois revenir, le fleuve et le désert m'attendent.

Nour ne dit rien. Brusquement son visage est devenu tout triste, de la tristesse d'une fleur qui se penche dans le sable. Son visage a pris l'expression de sa sœur excisée et il passe comme un voile de souffrance entre les deux femmes qui se sont tues. Elles regardent au loin le fleuve qui brille. Le paradisier rouge s'est envolé en direction de la mer. Nour referme la boîte qu'elle remet dans son panier.

— Y a-t-il des dattes là-bas, dans ce pays où je dois aller ?

— Non, il n'y a pas de dattes, mais il y a des montagnes aux cîmes très élancées, aux neiges éternelles, de la glace qui ne fond jamais. Il n'y a pas de halawa, mais il y a du chocolat, du très bon chocolat.

— Et est-ce qu'il y a des oiseaux ?

— Oui, il y a beaucoup d'oiseaux et il y a des arbres que tu ne connais pas et qui sont très beaux et toujours verts. On les appelle des sapins.

Mais le visage de Nour est toujours triste. Elle

se lève brusquement, secoue les miettes de sa robe et prend la main d'E. Elles se dirigent en silence vers le fleuve.

Elles aperçoivent au loin une barque qui brille dans le soleil du matin. La brume se dissipe sur le fleuve qui semble immobile et mystérieux. Elles font de grands signes de la main. Le bateau se rapproche. Une mélodie triste et langoureuse leur arrive par bribes. C'est une mélodie de son adolescence, une des mélodies entendue sur la corniche de son pays, lorsque, la main dans la main avec lui, ils avaient fait des plans d'avenir, des plans d'espoir, lorsqu'ensemble ils avaient dessiné les fleurs de passion et l'arbre de vie qui renouvelleraient le monde. La mélodie devient de plus en plus distincte. C'est le batelier qui chante en ramant.

Femme du soleil
Va retrouver ton amant de fruits et de racines
Il t'attend là où le soleil ne se couche jamais
Femme du soleil
Va vers l'horizon pourpre de la mer
Ecris ton nom dans la poussière
Accroche-toi aux ailes du firmament
Femme du soleil
Trace un chemin dans le désert
Suis l'hirondelle qui vole vers la lumière

Et retrouve la voix du vent
O,o,o, femme du soleil et des rêves

Le bateau est tout près d'elles et E. s'approche du batelier :
— Nous allons à la ville V. Peux-tu nous y conduire ?
Elle sort plusieurs bracelets et une broche en forme de poisson. Les bijoux brillent avec éclat dans le soleil qui s'est levé. Le batelier prend religieusement l'offrande et leur fait signe de monter. Il les aide à se hisser sur la barque. Nour semble avoir perdu son entrain du départ et elle s'accroche à E. en gémissant.
— Viens ma lumière, lui dit E. Tu es fatiguée. Viens dormir dans mes bras jusqu'à la ville, jusqu'au prochain bateau. Dors ma vie, dors mon âme. Il te faut des forces. Il te faudra beaucoup de courage et de persévérance pour arriver là où tu dois aller.
Elle a enveloppé la fillette dans son voile et elle s'est assise dans un coin du bateau caressant et berçant l'enfant. Le batelier a repris ses rames et son chant.

Elle était née pour les étoiles
Pour le souffle qui coule en elle
Elle était née pour le voyage
de la terre, et du ciel et des mers

152

Elle est restée, seule et brisée
Elle n'a pas su où s'en aller
Elle est allée jusqu'à la mer
Et la mer l'a acceptée

Elle était née pour s'ouvrir
Pour recevoir les fruits du temps
Elle était née pour s'élancer
vers l'horizon, vers la moisson, vers les chansons
Elle est restée, seule et brisée
Elle n'a pas su où s'en aller
Elle a marché jusqu'au fleuve
Et le fleuve l'a acceptée

E. regarde le reflet vert que le soleil paillette d'or et d'argent. Quelle force et quelle paix ! Quelle tranquillité des rives qui se contemplent et d'un monde qui coule et qui vibre sous le soleil. Petit à petit la ville se dessine dans le lointain, une ville du désert, une ville rose, jaune et grise encadrée de palmiers et de longs minarets, symboles. Une ville du silence et de la contemplation. L'humidité et la chaleur l'auréolent de brume et de poussière. C'est la ville de l'embouchure, la ville du delta, la ville du triangle offert et du voile souhaité écarté. C'est la ville des fruits qui mûrissent et du soleil qui boit. Comme sa ville à elle est loin et comme sont loin les bananiers pillés, les dattes desséchées, le sang brûlant les vignes et le blé, et l'enfant criant sa blessure et sa mère égorgée.

— Voilà le grand port, dit le batelier en leur indiquant au loin une jetée blanche et une baie calme remplie de petits et de grands bateaux, de bateaux de guerre et de bateaux de pêche.

— Il vous faut descendre ici, continue-t-il et prendre la route à droite. Elle longe le quai et les marchés. Suivez le fleuve et vous y arriverez.

E. le remercie et saisit Nour par la main. Cette dernière s'approche du batelier et lui donne son panier de bananes, de dattes et de halawa.

— Merci pour tes chansons, murmure-t-elle.

Le batelier sourit, les aide à descendre et il reprend ses rames et son chant, en direction du village, en direction de tout ce qu'elles ont fui. La mélodie est triste et langoureuse. Elle glisse avec la barque sur le fleuve aux tons verts et violets. Les deux femmes l'écoutent, prises par la beauté et la magie des mots et des sons, hypnotisées par le mouvement de la barque qui s'éloigne et du chant qui les enveloppe et leur parvient de très loin grâce à l'écho.

Layla avec sa peau couleur de nuit
Layla avec ses yeux marqués de pluie

Elle a frappé aux portes fermées
Elle a brisé les murs givrés
Elle a tracé en elle, en elle
Un chemin gravé d'étoiles
Elle a couru vers la forêt
Elle a nourri tous les oiseaux

Elle était née pour les étoiles
Pour le souffle qui coule en elle
Elle était née pour le voyage
de la terre, et du ciel et des mers
Elle est restée seule et brisée
Elle n'a pas su où s'en aller
Elle est allée jusqu'à la mer
Et...

Nour frissonne et s'accroche à E. Elles s'en vont main dans la main dans les ruelles encombrées de marchands, de magasins et de cafés, des ruelles à l'odeur d'ail, d'huile, de poissons et de friture.

— J'aimerais manger un grand poisson comme celui-là, dit Nour en montrant une sole à l'ovale délicat et à la nervure fine et dorée.

— Nous en mangerons, je te le promets ma lumière. Nous mangerons un gros poisson comme celui-là dès que nous aurons acheté le billet. Viens, ne nous attardons pas.

Il n'y a presque pas de femmes dans le marché car ce sont les hommes qui font les courses et E. a peur de se faire remarquer. Déjà les hommes dévisagent Nour avec une insistance obscène. Heureusement qu'elle-même est masquée et voilée. Elle redouble ses pas et son voile se gonfle comme un grand oiseau noir. Le vent salé de la mer leur fouette le visage. Nour a de la peine à suivre.

— Comme tu marches vite, dit-elle. Moi je ne sais bien marcher que dans le sable.

— Tu apprendras vite, ma vie. Tu verras, tu apprendras à courir sur la pierre et tu apprendras à rouler sur une machine qui roule vite, et un jour tu prendras peut-être un grand oiseau d'acier et tu voleras dans le ciel. Tu apprendras toutes ces choses, car tu es l'espérance, lumière.

— Oh, oui, je volerai comme les oiseaux, murmure-t-elle.

Elles ont atteint le port. Un gros paquebot blanc se dresse devant elles. Il porte en lettres vertes fraîchement peintes le nom : *Esperia*.

— C'est notre chance, notre bonheur. C'est le bateau de l'espoir et de la vie retrouvés, dit E.

Elle s'approche d'un comptoir où deux hommes discutent en arabe. Elle hésite. Doit-elle les aborder ? Un instinct lui dit que non, qu'elle court un danger. Elle recule et marche sur le quai. D'énormes grues montent des caisses et des voitures. Le

156

port est à l'embouchure du fleuve dans la mer. L'air colle à la peau. Comment trouver un moyen de faire monter Nour ? Elle regarde de tous les côtés. Derrière les grilles, des gens attendent pour monter. Elle voit deux enfants assis sur des valises. Ils tiennent dans leurs mains une cage remplie de perruches. Soudain, une femme apparaît dans la foule et fait bondir le cœur d'E. C'est une femme qu'elle a déjà vue : cette allure libre, ce corps menu, ces cheveux bruns, ce regard triste, cette détermination et cette fierté mêlées de douceur... C'est la femme.

— Tout est prêt, dit la femme aux deux enfants. Nous pouvons monter, le bateau part dans trois heures.

— J'ai faim, dit le petit garçon. Tu nous avais promis du poisson.

E. s'approche d'eux :

— Est-ce que je peux vous inviter à manger du poisson ? Ma petite fille aussi en meurt d'envie.

Au son de la voix, la femme a tressailli. Elle regarde cette femme voilée et masquée qui les a abordés et elle recule d'un pas, surprise. E. soulève son masque et la regarde. Les deux femmes se regardent et un monde de compréhension et de communication est échangé dans ce moment qui les a rapprochées encore une fois.

— Allons, dit la femme. Trouvons un endroit

calme d'où nous pourrons surveiller les valises et manger tranquillement.

Pas très loin d'eux, il y a une sorte de café-restaurant à la façade mauve avec une cour remplie de tables, de chaises et d'arbres qui projettent ombre et fraîcheur. Au milieu de la cour, il y a un bassin avec de l'eau. L'endroit est agréable et ils s'y dirigent attirés par l'odeur de café, de poisson et de friture.

— Assieds-toi là, dit la femme à E. Tu seras protégée par l'arbre et tu pourras enlever ton masque. Les enfants peuvent surveiller les valises.

E. enlève son masque et son voile. Elle respire profondément. La femme a sorti une boîte de cigarettes. Elle tend la boîte à E. qui hésite. Elle n'a pas fumé depuis son voyage et sa rencontre avec l'étrangère, l'égyptienne du bateau.

— Prends, fume dit la femme. Cela te détendra. Tu as l'air très soucieuse.

Les deux femmes se sont rapprochées et fument en silence. Elles se regardent et se comprennent. C'est tout un monde qui parle à travers cet échange de leur regard voilé par la fumée de la cigarette un monde de la souffrance et de l'oppression, le monde du silence et de l'acceptation, le monde de l'abnégation et du don de soi, mais aussi le monde de la révolte et des soubresauts vers les régions de vie et de liberté.

158

— Je veux une sole dit Nour, le poisson que nous avons vu à l'entrée du port, le poisson plat et ovale.

— Oui, moi aussi, dit le petit garçon. Et je le veux frit avec de la sauce de taratour.

Les deux femmes rient devant l'enthousiasme des enfants. La femme commande les poissons. E. prend son foulard qu'elle tend à la femme :

— Ce sont tous mes bijoux, mes papiers et le carnet d'adresses. J'ai souligné les noms et les adresses où Nour pourra aller.

— Ne t'en fais pas, dit la femme en prenant le foulard et en serrant les mains d'E. dans les siennes. Elle sera en sécurité. Elle retrouvera ce pays que tu m'as décrit. Elle traversera la mer et verra les montagnes. Elle pourra, elle au moins, peut-être, vivre.

Les enfants bavardent et mangent en riant. E. regarde la femme, les enfants, la mer. Elle n'arrive pas à avaler ce qu'elle a dans son assiette. Un étau lui serre la gorge et l'empêche de manger. Elle regarde le bateau et les passagers qui montent la passerelle. Arrivera-t-elle à aller jusqu'au bout de son chemin ? Et Nour trouvera-t-elle vraiment la lumière ? Combien de fois faut-il traverser la mer pour comprendre ? se demande-t-elle.

La femme se lève et prend son sac et le foulard.

— Finissez tranquillement, dit-elle. Moi, je vais

acheter un autre billet. Quand je reviendrai, il nous faudra partir.

E. regarde cette femme qui lui ressemble, cette femme qui se déplace en tailleur avec une allure libre et dégagée, cette femme qui va traverser la mer et les vagues, qui va quitter le désert pour retrouver les montagnes. Nour voit qu'elle regarde la femme et elle voit les questions et l'angoisse dans les yeux d'E. Une tristesse subite lui voile le regard, mais elle continue de rire en parlant à ses nouveaux compagnons qui semblent envoûtés par son charme. Soudain, elle prend la main d'E. dans la sienne :

— Tu ne peux pas venir avec nous. Je sais que tu ne peux pas venir. Mais un jour, moi, je reviendrai te chercher sur ce grand oiseau que tu m'as décrit, ce grand oiseau qui vole dans le ciel.

E. lui sourit. La femme est revenue avec le billet :

— Il nous faut partir maintenant, dit-elle. Le bateau va bientôt appareiller.

Elle montre à E. le foulard où brillent quelques bracelets, la broche et les boucles d'oreille :

— Il reste encore ces bijoux pour la petite. Elle les gardera précieusement.

E. remet son masque et son voile. La femme a appelé des porteurs qui se chargent des valises. E. prend Nour dans ses bras et l'embrasse. Heureuse-

160

ment que le masque cache ses larmes et que le voile dissimule le tremblement de ses épaules. Nour ne dit rien. Son regard est perdu au loin. La femme lui serre la main. Leurs regards se rencontrent encore une fois et se communiquent du courage. Elle prend ses enfants par la main. Nour a saisi la main du petit garçon. E. les regarde qui s'éloignent et qui montent la passerelle. Elle n'attendra pas le départ du bateau. Déjà leurs traits ne sont plus visibles. Déjà leurs gestes et signes de la main lui paraissent aussi lointain qu'à travers un brouillard très dense. Elle ressent un déchirement intérieur. Ses yeux sont voilés de larmes qu'elle n'arrive pas à contrôler. Elle a peur de se faire remarquer. Pourra-t-elle aller jusqu'au bout ? Elle se redresse avec courage et défi. Elle sait où elle doit aller et ses pas la dirigent là où son image l'attend, là où son présent, son passé et son futur sont entremêlés en un point qui tourbillonne et l'appelle. Elle franchit le port sûre de ses pas. Elle n'a plus peur maintenant. Elle va rejoindre son centre, le point culminant de son existence, l'endroit que le batelier lui a indiqué d'un geste de la main, lorsque, accroupis dans la barque, ils s'étaient approchés de la ville. C'est alors qu'il lui avait montré l'horizon, le point scintillant au soleil, embouchure du fleuve dans la mer.

Elle avance d'un pas assuré et droit. Elle traverse le marché de poissons, les ruelles encombrées de passants, de vendeurs et d'acheteurs qu'elle venait de traverser quelques heures auparavant dans la direction opposée avec Nour. Le monde est plus dense qu'avant. Le soleil est à son zénith et il fait très chaud. Bientôt, tout sera désert et silencieux pour la sieste. Cette fois les hommes la regardent à peine et elle est soulagée de pouvoir marcher droit vers son but.

Elle est arrivée au bord du fleuve, près de la mer. Elle a regardé son image qui se reflétait dans l'eau verte, reflet qu'elle avait déjà contemplé tant de fois, comprenant l'appel caché des flots et de la vague. Sans la moindre hésitation, elle a pénétré la vague, elle a avancé dans son image qui l'attendait. Elle a avancé dans l'eau qui s'est refermée sur elle. Elle est allée vers le repos. Elle est allée vers le silence.

La sirène a émit sa plainte lugubre. *L'Esperia* quitte le quai, bientôt il sera dans la mer. Nour, penchée contre la balustrade, regarde le bateau qui s'éloigne et les vagues qu'il forme en fendant l'eau. Ses cheveux flottent au vent. La femme s'est rapprochée d'elle. Elle a allumé une cigarette et elle fume en regardant l'eau. Soudain son visage devient tout triste et elle est secouée de sanglots. Elle jette dans la mer avec nervosité la cigarette qu'elle venait d'allumer.

— Qu'as-tu ? Qu'as-tu ? dit Nour.

— Rien, dit la femme, et elle rallume une autre cigarette.

Au loin un batelier rame dans la direction du village. Il chante une chanson triste et l'écho de son chant résonne à travers le fleuve et jusque vers la mer. Nour reconnaît le chant et elle se met, elle aussi, à pleurer très doucement.

Elle était née pour les étoiles
Pour le souffle qui coule en elle
Elle était née pour le voyage
de la terre et du ciel et des mers
Elle est restée, seule et brisée
Ell n'a pas su où s'en aller
Elle est allée jusqu'à la mer
Et la mer l'a acceptée

Layla, Layla du camp rompu
Layla, Layla du camp rasé
Elle a soufflé dans les décombres
Elle a tracé des fleurs de cendre
Elle a cherché en elle, en elle
Un autre souffle, une autre vie
Elle a dit oui à sa passion
Elle a dit non à la raison

Elle était née pour s'ouvrir
Pour recevoir les fruits du temps
Elle était née pour s'élancer
vers l'horizon, vers la moisson, vers les chansons
Elle est restée, seule et brisée
Elle n'a pas su où s'en aller
Elle a marché jusqu'au fleuve
Et le fleuve l'a acceptée

Layla, Layla, oiseau du Sud
Layla, Layla, bijou de l'eau
A caressé pierre après pierre
A redonné vie à la mer
Elle a tracé, seule dans l'enceinte
Un chemin gravé d'images
Elle est venue seule dans le soir
Elle a ouvert tous les espoirs

   Nour s'est effondrée sur le pont du bateau. La
jeune femme la prend dans ses bras et la porte
jusqu'à la cabine. Elle la masse, essayant de
redonner de la vie à son petit corps inerte. Elle
l'asperge d'eau froide. On entend encore au loin,
l'écho du chant sur la mer :

Elle a aimé, elle a donné
...

Elle était née pour les étoiles

...

Elle était née pour le voyage

...

On l'a brisée et mutilée
On l'a meurtrie, on l'a tuée

...

Elle est allée jusqu'à la mer
Et la mer l'a acceptée

Nour ouvre les yeux et regarde la jeune femme qui lui sourit.

— Il ne faut pas te laisser aller au désespoir. Elle aurait été déçue de te voir dans cet état, elle qui compte tellement sur toi pour vivre ce qu'elle n'a pas pu... Tiens, bois un peu d'eau.

Le petit garçon et la petite fille se sont approchés de la couchette et regardent Nour qui boit. Son corps est secoué de tremblements. Elle claque des dents. La jeune femme l'aide à se recoucher et l'enveloppe dans un châle.

— Venez, dit-elle aux enfants. Laissons-la se reposer.

Ils vont sur le pont et le vent salé du large leur fouette le visage. La mer est agitée et les crêtes blanches viennent se briser avec force sur la coque du bateau. A l'horizon, un soleil rouge est sur le point de disparaître. La jeune femme frissonne et allume une cigarette. Elle doit s'y prendre à plusieurs fois car le vent éteint la flamme.

— J'ai faim, dit le petit garçon.

— Tu as toujours faim, réplique la petite fille.

— Venez, rentrons, dit la jeune femme. Allons chercher la salle à manger.

Elle regarde la mer encore une fois avec angoisse. Que de fois l'a-t-elle traversée avec toujours cette angoisse au fond du cœur, se demandant ce qu'elle trouverait au bout du voyage.

Le petit garçon la tire par la manche et la force loin de ses pensées. Heureusement qu'ils sont là, se dit-elle. Et Nour aussi, heureusement que Nour a pu fuir.

— Allons d'abord voir Nour, dit-elle aux enfants.

Ils s'approchent de la cabine. Nour dort recroquevillée sur la couchette, enroulée dans le châle. De temps en temps, son souffle est coupé par des hoquets et des soupirs.

— Laissons-la dormir, fait-elle aux enfants. Demain elle ira mieux.

Le lendemain la mer est plus calme. Les enfants courent sur le pont en riant. Au loin, l'horizon est de mer et de mer à l'infini. Dans un coin du pont la jeune femme est assise avec Nour. Cette dernière est toujours enroulée dans le châle. Son petit visage est très pâle, barré par d'énormes cernes sous les yeux. Elle semble loin, très loin, comme enfoncée dans l'infini.

La jeune femme a allumé une cigarette. Elle essaie de faire sortir Nour de sa torpeur :

— Tu la connaissais bien ?

— Oh, non, elle était mystérieuse pour tout le monde. Quand elle est arrivée au village, tout le monde l'attendait. Cela faisait des jours et des semaines que sa venue avait été annoncée. Tout le monde l'attendait avec curiosité. Moi aussi j'étais curieuse. Et puis, quand je l'ai aperçue, mes sentiments de curiosité se sont transformés en sentiments d'amour. Il émanait d'elle une telle force et une telle bonté. Même sous le voile et le masque, sa beauté transparaissait...

— Oui, elle avait la beauté du cœur, et du corps aussi, car je l'ai vue non voilée.

— Ah, tu la connaissais ? soupira Nour.

La jeune femme hésita et attendit un long moment avant de répondre. Entre-temps, elle avait rallumé une autre cigarette. Elle tirait la fumée nerveusement plongée dans des pensées qui semblaient douloureuses :

— Oui, il y a de cela des années. J'avais fait un voyage avec elle. Je fuyais mon pays. Je fuyais les coutumes humiliantes, des coutumes que tu connais sûrement. Lorsqu'on s'est vues, on a tout de suite sympathisé. Elle m'a raconté qu'elle fuyait elle aussi son pays en guerre et qu'elle voulait fuir aussi sa famille qui l'étouffait et lui imposait des valeurs qu'elle ne pouvait pas accepter. Elle s'était confiée à moi et m'avait dit qu'elle allait partir avec un homme aimé pour un pays lointain... un pays tel que celui que je venais de fuir.

La jeune femme s'arrête un moment. Son front est plissé par l'angoisse du souvenir :

— Je lui avais dit... Je lui avais pourtant dit de ne pas partir. Je lui avais expliqué l'horreur de tout ce que je fuyais... Oh, pourquoi ne m'a-t-elle pas écoutée ?

Nour s'est tue elle aussi devant le rappel du souvenir douloureux, devant l'évocation de ce qui aurait peut-être pu être empêché. Elle regarde la mer et elle regarde la jeune femme qui fume sans interruption depuis le début de leur conversation.

— Et comment t'en es-tu sortie, toi ?

— Oh, c'est une longue histoire. Pendant que je lui parlais, j'ai aperçu un homme de loin, un homme qui semblait chercher quelqu'un. La carrure de cet homme ressemblait étrangement à celle de mon frère. J'ai eu très peur, car je savais que si mon frère m'avait suivie et me trouvait, il me tuerait sûrement. Alors je me suis cachée dans la cale. Je suis restée là des jours et des nuits dans l'obscurité, tremblante de peur. Lorsque le bateau a appareillé, j'ai attendu que tout le monde soit descendu et puis j'ai risqué la sortie et je me suis perdue dans la foule en courant, en courant toujours. Chaque fois que je voyais quelqu'un qui ressemblait à mon frère, je me cachais. J'avais très peur. J'avais aussi très faim car cela faisait des jours et des nuits que je n'avais rien mangé. J'avais de la chance, je venais d'une famille aisée. J'avais des bijoux que j'ai vendus pour manger et pour essayer de passer la frontière pour me cacher. J'avais toujours peur que mon frère ne suive ma trace par les bijoux vendus ou par ce flair naturel aux hommes de chez nous lorsqu'il s'agit d'une question d'honneur... C'est une longue histoire que j'abrège aujourd'hui. J'ai passé la frontière et trouvé ce pays où nous nous rendons toi et moi, où nous serons dans quelques jours. De nouveau là, j'ai eu la chance de trouver un travail dans une famille de diplomates qui voulaient que je donne des leçons d'arabe à leurs enfants. Et puis, j'ai rencontré un homme qui m'a délivrée de mon passé. J'ai vécu, je vis encore une grande passion avec un homme qui me respecte et m'a aidé à m'affirmer comme femme entière, comme être total. Mes blessures sont toujours là, mais elles sont cicatrisées maintenant. Et je peux même retourner dans mon pays sans peur et sans amertume. De temps en temps les blessures s'ouvrent à nouveau comme hier au moment de ma rencontre avec celle que j'aurais voulu pouvoir aider. Elle représente toutes celles que j'aimerais pouvoir aider à franchir le mur de la honte et du désespoir, le voile du silence et de l'oubli. Heureusement, tu es là. Je t'aiderai. Il faut que pour toi, cela soit plus facile.

Elle serre Nour contre elle. Elle s'est tue. Nour aussi s'est tue et pleure doucement. Puis elle essuie ses larmes et enlève le châle en se levant. Son visage rayonne de sagesse et de beauté. Elle étend ses mains vers la mer dans un geste de prière :

— Je veux qu'elle puisse être fière de moi, car elle m'a sauvée. Sa venue m'a sauvée. Grâce à elle, j'ai vu le soleil et la lumière. Grâce à elle, je ne porterai jamais de masque étouffant sur ma figure. Grâce à elle, on ne me coupera jamais le ventre comme on l'a fait à ma sœur, qui est sûrement en train de crier de douleur aujourd'hui. On m'a appelé Nour à ma naissance, mais sans elle je ne connaîtrais jamais le jour. Il faut que je vive pour aider mes autres sœurs. C'est ce qu'elle aurait voulu, n'est-ce pas ? dit-elle à la jeune femme.

Cette dernière semble très émue devant la longue tirade de Nour. Elle regarde la fillette dont le

170

visage est transformé et qui semble avoir subitement grandi de plusieurs années. Elle voit en elle la belle jeune femme de demain, la jeune femme qui nourrira tous les espoirs.

L'été suivant, dans une maison qui borde le lac Léman de Suisse, Nour enterre son oiseau mort. Elle l'a mis dans une jolie boîte qu'elle vient de peindre, une boîte colorée de croix, de croissants, de fleurs, de papillons et de soleils. Elle court vers la forêt de sapins. Elle court en chantant et en berçant la boîte, en berçant son oiseau mort.

Puis elle revient vers le jardin tout près du Lac entouré de montagnes. Dans le jardin, il y a un cèdre, l'arbre millénaire du pays de celle qu'elle n'a pas oubliée. Elle creuse et creuse un trou en pleurant. Elle a mis la boîte dans le trou et elle l'arrose de larmes et la recouvre de terre. Elle murmure tout bas :

— Un jour je reviendrai. Tu verras, un jour je reviendrai.

46011 - juin 2012
Achevé d'imprimer par

1livre.com